CW00393666

COLLECTION
LE PETIT CLASSIQUE

JEAN GIRAUDOUX

LA GUERRE DE TROIE N'AURA PAS LIEU

Les Éditions du Cénacle

ISBN 978-2-36788-510-0

Dépôt légal : janvier 2015

SOMMAIRE

BIOGRAPHIE
JEAN GIRAUDOUX

Jean Giraudoux naît à Bellac le 29 novembre 1882. Sa jeunesse est marquée par une scolarité studieuse et brillante : il obtient avec éclat son certificat d'étude à dix ans, passe un baccalauréat de philosophie et entre en classe préparatoire au lycée Lakanal de Seaux, où il prépare le concours d'entrée à l'École normale supérieure de la rue d'Ulm. Bercé pendant tout son apprentissage par le grec et le latin, fort en thème et en version comme le sont les meilleurs élèves d'une époque où l'enseignement s'appuyait essentiellement sur la rigueur des classiques antiques et sur la tradition rhétorique, il obtient le premier prix de version grec au concours général en 1902, et termine sa deuxième année de Khâgne avec le prix d'excellence. Titulaire à 22 ans d'une licence de Lettres, il se dirige ensuite vers la culture allemande, qui le passionne. Il séjourne alors à Munich où il poursuit ses études. Il rencontre Paul Morand dont il devient le précepteur. Il fait divers voyages durant les années qui suivent, en Serbie, en Italie puis aux Etats-Unis. Mais il échoue à l'agrégation d'allemand. Incertain quant à son avenir, ne souhaitant ni une carrière de journaliste (il est rédacteur depuis son retour de voyage pour le journal *Le Matin*), ni un avenir dans le professorat, il s'essaie à la carrière diplomatique. Il passe sans succès le concours des Affaires étrangères en 1909, mais il est reçu premier au concours des chancelleries l'année suivante, et entre au ministère des Affaires étrangères. Mais la guerre éclate en 1914. Mobilisé, finalement nommé sous-lieutenant, il est blessé à la bataille de la Marne puis aux Dardanelles, et reçoit la légion d'honneur. Il commença à écrire avant la guerre avec *Les Provinciales* (roman) et *L'École des Indifférents* (recueil de nouvelles). Il publie en 1917 et 1918 *Lectures pour une ombre* et *Simon le pathétique*. Son écriture est raffinée, empreinte de sa sensibilité autobiographique et touche un public lettré. Il se lie à Suzanne Boland, avec laquelle il a son fils unique, Jean-Pierre, né en 1919. Il l'épouse en 1921, deux ans après la naissance de leur fils. Il poursuit sa carrière diplomatique et publie d'autres romans : *Adorable Clio* (1920), *Suzanne et le Pacifique* (1921), *Siegfried et le Limousin* (1922), *Juliette au pays des hommes* (1924), *Bella* (1926) et *Églantine* (1927). Il remporte le prix Balzac pour *Siegfried et le Limousin*. Lui vient alors l'idée d'adapter ce roman pour le théâtre, et en travaillant le manuscrit, il fait la rencontre, en 1928, par l'intermédiaire de Bernard Zimmer, de Louis Jouvet. C'est alors le début d'une amitié et d'une collaboration théâtrale extraordinaires. Jouvet, malgré l'enthousiasme frénétique et l'honneur qu'il éprouve à monter cette pièce, ne croit pas au succès de *Siegfried* et doute de sa réception par le public. Pourtant, lorsque la pièce est jouée pour la première fois le 3 mai 1928, à la Comédie des Champs-Élysées, c'est une révélation. C'est alors pour Giraudoux le début de sa carrière en tant qu'auteur dramatique, et c'est sous ce visage qu'il est le plus connu de nos jours. L'association Jouvet/Giraudoux, celle du dramaturge et du comédien, de l'auteur et du metteur en scène, relève d'une symbiose parfaite : l'auteur permet à l'acteur d'exister, et l'acteur donne une vie réelle aux idées de l'auteur. Ils partagent la même conception du théâtre et l'on dit qu'il y a entre eux une entente quasi-télépathique. Jouvet, si la guerre et la mort ne l'avait pas éloigné de son dramaturge attitré, aurait certainement monté toutes les pièces de Giraudoux. Au théâtre des Champs-Élysées sont jouées *Amphitryon 38* en 1929 et *Intermezzo* en 1933. Les pièces suivantes voient le jour au théâtre de l'Athénée, que Jouvet dirige jusqu'à sa mort : *Tessa* (1934), *La Guerre de Troie n'aura pas lieu* et *Supplément au voyage de Cook* (1935), *Électre* et *L'Impromptu de Paris* (1937), et enfin *Ondine* (1939), qui connaît un franc succès. Deux pièces seulement ne sont pas jouées par la troupe de Jouvet : *Judith* (1931) et le *Cantique des cantiques* (1938). La première est jouée au théâtre Pigalle et la seconde à la Comédie-Française, mais les deux sont mises en scène par Jouvet. En une dizaine d'années Giraudoux écrit onze pièces, environ une pièce par an. Ses proches rapportent avec épatement la rapidité avec laquelle il rédige ses œuvres, écrivant parfois des dialogues entiers sans aucune retouche. Il affirmait en effet que pour faire entendre la voix des personnages il suffisait de savoir dialoguer avec soi-même. Pendant l'entre-deux-guerres, Giraudoux est un des auteurs les plus fameux sur les scènes parisiennes, bien que certains critiques l'accusent d'être trop littéraire (Giraudoux répond d'ailleurs à la critique dans *L'Impromptu de Paris*, qui met en scène les comédiens de la troupe de Jouvet dans leurs propres rôles).

En parallèle, il poursuit sa carrière diplomatique, et écrit en 1939 un essai politique : *Plein pouvoirs*, qui énonce son désir de voir se constituer en France « un type moral et culturel ». Il se prononce de plus en plus contre la guerre hitlérienne imminente. Mais cette dernière éclate, perturbant également le foisonnement des théâtres français. Le pays est sous occupation allemande et on interdit à Jouvet de jouer les pièces de Giraudoux. Il part alors en Amérique latine pour exercer son métier en toute liberté. Il joue d'ailleurs une pièce de Giraudoux, avec lequel il reste en contact : *L'Apollon de Bellac*, sous le titre *L'Apollon de Marsac*, en 1942 à Rio de Janeiro. Giraudoux reste en France, mais sans son ami et associé, le théâtre perd pour lui de sa couleur. Il fait jouer sa nouvelle pièce, *Sodome et Gomorrhe*, au théâtre Hebertot en 1943, mais n'en est pas complètement satisfait. Sans assister à la fin de la guerre, il meurt le 31 janvier 1944 d'une pancréatite. Jouvet s'en voudra toujours de ne pas avoir été là à sa mort, et lorsqu'il revient en France en 1945, il trouve le manuscrit de *La Folle de Chaillot*, que Giraudoux lui avait confié pour qu'il le monte au théâtre de l'Athénée. Dès lors, Jouvet déploie toute son énergie pour ré-ouvrir son théâtre et se consacrer à la pièce, qui est jouée pour la première fois le 19 décembre 1945. La dernière pièce écrite par Giraudoux, *Pour Lucrèce*, est montée par Jean-Louis Barrault en 1953, deux ans après la mort de Jouvet, au théâtre Marigny.

PRÉSENTATION
LA GUERRE DE TROIE
N'AURA PAS LIEU

La Guerre de Troie n'aura pas lieu est jouée pour la première fois sur la scène du théâtre de l'Athénée le 22 novembre 1935. Elle est publiée un mois plus tard par l'éditeur Bernard Grasset. C'est la pièce de Giraudoux qui a connu le plus grand rayonnement, celle qui fut le plus jouée à l'étranger et la plus étudiée dans nos classes.

L'action se situe dans les remparts de Troie, et la famille royale (le roi Priam, son fils Hector et son épouse Andromaque) est au centre d'un débat concernant l'utilité de la guerre qui s'annonce. Car Pâris, frère d'Hector, a enlevé Hélène, et en la retenant entre les murs de Troie, c'est la fureur des Grecs et de Ménélas, offensé, qu'il risque de déchaîner. S'affrontent alors les partisans de la guerre et les défenseurs de la paix. Hector fera tout pour la préserver, mais les tensions internes et le déchaînement des passions mèneront finalement à l'inéluctable affrontement, autour de la figure centrale d'Hélène, indifférente à l'extrême et portant pourtant en elle, par ce qu'elle suscite, par ce qu'elle représente, le germe d'un destin funeste.

Reprenant le thème mythique de l'*Iliade*, celui de la fameuse guerre de Troie, l'auteur présente sa pièce sous le signe de la tragédie antique, dominée par l'ombre de la fatalité. Car quoi qu'en dise le titre, chacun sait ce que l'histoire réserve aux personnages : la guerre de Troie aura bien lieu, et le spectateur sait déjà que tous les efforts des protagonistes pour empêcher cette guerre seront rendus vains par le dénouement. Une tragédie, oui, mais pas seulement. Giraudoux a volontairement situé sa pièce avant l'épopée antique, avant le récit qu'Homère fit de cette guerre. Il reprend donc des figures mythiques qu'il éclaire d'une toute nouvelle lumière, avant qu'elles soient immortalisées par la plume du poète grec, avant leur gloire et leur déchéance, dans leur humanité et leur intimité. Tout en respectant leur rôle immuable, Giraudoux les personnalise

17

et les modernise, il les situe dans une histoire intemporelle, mêlant aux références antiques les nombreuses allusions à l'actualité, notamment à la guerre de 1914 et à certaines figures politiques, ou encore aux écrivains qui ont évoqué la guerre de Troie, tels que Ronsard, Shakespeare et Racine, répétant ainsi les clins d'œil à l'attention du spectateur cultivé. C'est donc volontairement qu'il multiplie les anachronismes, et confronte les passages comiques, qu'ils soient cyniques ou burlesques, ironiques ou grossiers, à la poésie et à la rhétorique tragique des répliques.

Dans cette période de l'entre-deux-guerres où elle naît, la pièce surgit comme une interrogation, une résistance et une crainte devant la montée de la puissance allemande et la seconde guerre qui se prépare. Elle explore les nœuds internes qui peuvent conduire un peuple à vouloir la guerre, à la préparer en son sein et, loin de véhiculer en réalité un message fataliste, elle pousse à agir contre ces forces qui sont en marche en chacun, et qui peuvent mener au pire.

LA GUERRE DE TROIE
N'AURA PAS LIEU

PERSONNAGES

Andromaque
Hélène
Hécube
Cassandre
La paix
Iris
Servantes et Troyennes
La petite Polyxène
Hector
Ulysse
Demokos
Priam
Pâris
Oiax
Le Gabier
Le Géomètre
Abnéos
Troïlus
Olpidès
La Giunta
Vieillards
Messagers

La première représentation a eu lieu le 21 novembre 1935 au Théâtre de l'Athénée, sous la direction de Louis Jouvet.

ACTE PREMIER

Terrasse d'un rempart dominé par une terrasse et dominant d'autres remparts.

SCÈNE PREMIÈRE

Andromaque, Cassandre, une jeune servante

ANDROMAQUE. – La guerre de Troie n'aura pas lieu, Cassandre !

CASSANDRE. – Je te tiens un pari, Andromaque.

ANDROMAQUE. – Cet envoyé des Grecs a raison. On va bien le recevoir. On va bien lui envelopper sa petite Hélène, et on la lui rendra.

CASSANDRE. – On va le recevoir grossièrement. On ne lui rendra pas Hélène. Et la guerre de Troie aura lieu.

ANDROMAQUE. – Oui, si Hector n'était pas là !… Mais il arrive, Cassandre, il arrive ! Tu entends assez ses trompettes… En cette minute, il entre dans la ville, victorieux. Je pense qu'il aura son mot à dire. Quand il est parti, voilà trois mois, il m'a juré que cette guerre était la dernière.

CASSANDRE. – C'était la dernière. La suivante l'attend.

ANDROMAQUE. – Cela ne te fatigue pas de ne voir et de ne prévoir que l'effroyable ?

CASSANDRE. – Je ne vois rien, Andromaque. Je ne prévois rien. Je tiens seulement compte de deux bêtises, celle des hommes et celle des éléments.

ANDROMAQUE. – Pourquoi la guerre aurait-elle lieu ? Pâris ne tient plus à Hélène. Hélène ne tient plus à Pâris.

CASSANDRE. – Il s'agit bien d'eux !

ANDROMAQUE. – Il s'agit de quoi ?

CASSANDRE. – Pâris ne tient plus à Hélène ! Hélène ne tient plus à Pâris !

Tu as vu le destin s'intéresser à des phrases négatives ?

ANDROMAQUE. – Je ne sais pas ce qu'est le destin.

CASSANDRE. – Je vais te le dire. C'est simplement la forme accélérée du temps. C'est épouvantable.

ANDROMAQUE. – Je ne comprends pas les abstractions.

CASSANDRE. – À ton aise. Ayons recours aux métaphores. Figure-toi un tigre. Tu la comprends, celle-là ? C'est la métaphore pour jeunes filles. Un tigre qui dort.

ANDROMAQUE. – Laisse-le dormir.

CASSANDRE. – Je ne demande pas mieux. Mais ce sont les affirmations qui l'arrachent à son sommeil. Depuis quelque temps, Troie en est pleine.

ANDROMAQUE. – Pleine de quoi ?

CASSANDRE. – De ces phrases qui affirment que le monde et la direction du monde appartiennent aux hommes en général, et aux Troyens ou Troyennes en particulier…

ANDROMAQUE. – Je ne te comprends pas.

CASSANDRE. – Hector en cette heure rentre dans Troie ?

ANDROMAQUE. – Oui. Hector en cette heure revient à sa femme.

CASSANDRE. – Cette femme d'Hector va avoir un enfant ?

ANDROMAQUE. – Oui, je vais avoir un enfant.

CASSANDRE. – Ce ne sont pas des affirmations, tout cela ?

ANDROMAQUE. – Ne me fais pas peur, Cassandre.

UNE JEUNE SERVANTE, qui passe avec du linge. – Quel beau jour, maîtresse !

CASSANDRE. – Ah ! oui ? Tu trouves ?

LA JEUNE SERVANTE, qui sort. – Troie touche aujourd'hui son plus beau jour de printemps.

CASSANDRE. – Jusqu'au lavoir qui affirme !

ANDROMAQUE. – Oh ! justement, Cassandre ! Comment peux-tu parler de guerre en un jour pareil ? Le bonheur tombe sur le monde !

CASSANDRE. – Une vraie neige.

ANDROMAQUE. – La beauté aussi. Vois ce soleil. Il s'amasse plus de nacre sur les faubourgs de Troie qu'au fond des mers. De toute maison de pêcheur, de tout arbre sort le murmure des coquillages. Si jamais il y a eu une chance de voir les hommes trouver un moyen pour vivre en paix, c'est aujourd'hui… Et pour qu'ils soient modestes… Et pour qu'ils soient immortels…

CASSANDRE. – Oui les paralytiques qu'on a traînés devant les portes se sentent immortels.

ANDROMAQUE. – Et pour qu'ils soient bons !… Vois ce cavalier de l'avant-garde se baisser sur l'étrier pour caresser un chat dans ce créneau… Nous sommes peut-être aussi au premier jour de l'entente entre l'homme et les bêtes.

CASSANDRE. – Tu parles trop. Le destin s'agite, Andromaque !

ANDROMAQUE. – Il s'agite dans les filles qui n'ont pas de mari. Je ne te crois pas.

CASSANDRE. – Tu as tort. Ah ! Hector rentre dans la gloire chez sa femme adorée !… Il ouvre un œil… Ah ! Les hémiplégiques se croient immortels sur leurs petits bancs !… Il s'étire… Ah ! Il est aujourd'hui une chance pour que la paix s'installe sur le monde !… Il se pourlèche… Et Andromaque va avoir un fils ! Et les cuirassiers se baissent maintenant sur l'étrier pour caresser les matous dans les créneaux !… Il se met en marche !

ANDROMAQUE. – Tais-toi !

CASSANDRE. – Et il monte sans bruit les escaliers du palais. Il pousse du mufle les portes… Le voilà… Le voilà…

La voix d'HECTOR. – Andromaque !

ANDROMAQUE. – Tu mens !… C'est Hector !

CASSANDRE. – Qui t'a dit autre chose ?

SCÈNE II

Andromaque, Cassandre, Hector.

ANDROMAQUE. – Hector !

HECTOR. – Andromaque !… Ils s'étreignent. À toi aussi bonjour, Cassandre ! Appelle-moi Pâris, veux-tu. Le plus vite possible. Cassandre s'attarde. Tu as quelque chose à me dire ?

ANDROMAQUE. – Ne l'écoute pas !… Quelque catastrophe !

HECTOR. – Parle !

CASSANDRE. – Ta femme porte un enfant.

SCÈNE III

Andromaque, Hector.

Il l'a prise dans ses bras, l'a amenée au banc de pierre, s'est assis près d'elle. Court silence.

HECTOR. – Ce sera un fils, une fille ?

ANDROMAQUE. – Qu'as-tu voulu créer en l'appelant ?

HECTOR. – Mille garçons… Mille filles…

ANDROMAQUE. – Pourquoi ? Tu croyais étreindre mille femmes ?… Tu vas être déçu. Ce sera un fils, un seul fils.

HECTOR. – Il y a toutes les chances pour qu'il en soit un… Après les guerres, il naît plus de garçons que de filles.

ANDROMAQUE. – Et avant les guerres ?

HECTOR. – Laissons les guerres, et laissons la guerre… Elle vient de finir. Elle t'a pris un père, un frère, mais ramené un mari.

ANDROMAQUE. – Elle est trop bonne. Elle se rattrapera.

HECTOR. – Calme-toi. Nous ne lui laisserons plus l'occasion. Tout à l'heure, en te quittant, je vais solennellement, sur la place, fermer les portes de la guerre. Elles ne s'ouvriront plus.

ANDROMAQUE. – Ferme-les. Mais elles s'ouvriront.

HECTOR. – Tu peux même nous dire le jour !

ANDROMAQUE. – Le jour où les blés seront dorés et pesants, la vigne surchargée, les demeures pleines de couples.

HECTOR. – Et la paix à son comble, sans doute ?

ANDROMAQUE. – Oui. Et mon fils robuste et éclatant.

Hector l'embrasse.

HECTOR. – Ton fils peut être lâche. C'est une sauvegarde.

ANDROMAQUE. – Il ne sera pas lâche. Mais je lui aurai coupé l'index de la main droite.

HECTOR. – Si toutes les mères coupent l'index droit de leur fils, les armées de l'univers se feront la guerre sans index… Et si elles lui coupent la jambe droite, les armées seront unijambistes… Et si elles lui crèvent les yeux, les armées seront aveugles, mais il y aura des armées, et dans la mêlée elles se chercheront le défaut de l'aine, ou la gorge, à tâtons…

ANDROMAQUE. – Je le tuerai plutôt.

HECTOR. – Voilà la vraie solution maternelle des guerres.

ANDROMAQUE. – Ne ris pas. Je peux encore le tuer avant sa naissance.

HECTOR. – Tu ne veux pas le voir une minute, juste une minute ? Après, tu réfléchiras… Voir ton fils ?

ANDROMAQUE. – Le tien seul m'intéresse. C'est parce qu'il est de toi, c'est parce qu'il est toi que j'ai peur. Tu ne peux t'imaginer combien il te ressemble. Dans ce néant où il est encore, il a déjà apporté tout ce que tu as mis dans notre vie courante. Il y a tes tendresses, tes silences. Si tu aimes la guerre, il l'aimera… Aimes-tu la guerre ?

HECTOR. – Pourquoi cette question ?

ANDROMAQUE. – Avoue que certains jours tu l'aimes.

HECTOR. – Si l'on aime ce qui vous délivre de l'espoir, du bonheur, des êtres les plus chers…

ANDROMAQUE. – Tu ne crois pas si bien dire… On l'aime.

HECTOR. – Si l'on se laisse séduire par cette petite délégation que les dieux vous donnent à l'instant du combat…

ANDROMAQUE. – Ah ? Tu te sens un dieu, à l'instant du combat ?

HECTOR. – Très souvent moins qu'un homme… Mais parfois, à certains matins, on se relève du sol allégé, étonné, mué. Le corps, les armes ont un autre poids, sont d'un autre alliage. On est invulnérable. Une tendresse vous envahit, vous submerge, la variété de tendresse des batailles : on est tendre parce qu'on est impitoyable ; ce doit être en effet la tendresse des dieux. On avance vers l'ennemi lentement, presque distraitement, mais tendrement. Et l'on évite aussi d'écraser le scarabée. Et l'on chasse le moustique sans l'abattre. Jamais l'homme n'a plus respecté la vie sur son passage…

ANDROMAQUE. – Puis l'adversaire arrive ?…

HECTOR. – Puis l'adversaire arrive, écumant, terrible. On a pitié de lui, on voit en lui, derrière sa bave et ses yeux blancs, toute l'impuissance et tout le dévouement du pauvre fonctionnaire humain qu'il est, du pauvre mari et gendre, du pauvre cousin germain, du pauvre amateur de raki et d'olives qu'il est. On a de l'amour pour lui. On aime sa verrue sur sa joue, sa taie dans son œil. On l'aime… Mais il insiste… Alors on le tue.

ANDROMAQUE. – Et l'on se penche en dieu sur ce pauvre corps ; mais on n'est pas dieu, on ne rend pas la vie.

HECTOR. – On ne se penche pas. D'autres vous attendent. D'autres avec leur écume et leurs regards de haine. D'autres pleins de famille, d'olives, de paix.

ANDROMAQUE. – Alors on les tue ?

HECTOR. – On les tue. C'est la guerre.

ANDROMAQUE. – Tous, on les tue ?

HECTOR. – Cette fois nous les avons tués tous. À dessein. Parce que leur peuple était vraiment la race de la guerre, parce que c'est par lui que la guerre subsistait et se propageait en Asie. Un seul a échappé.

ANDROMAQUE. – Dans mille ans, tous les hommes seront les fils de celui-là. Sauvetage inutile d'ailleurs… Mon fils aimera la guerre, car tu l'aimes.

HECTOR. – Je crois plutôt que je la hais… Puisque je ne l'aime plus.

ANDROMAQUE. – Comment arrive-t-on à ne plus aimer ce que l'on adorait ? Raconte. Cela m'intéresse.

HECTOR. – Tu sais, quand on a découvert qu'un ami est menteur ? De lui tout sonne faux, alors, même ses vérités… Cela semble étrange à dire, mais la guerre m'avait promis la bonté, la générosité, le mépris des bassesses. Je croyais lui devoir mon ardeur et mon goût à vivre, et toi-même… Et jusqu'à cette dernière campagne, pas un ennemi que je n'aie aimé…

ANDROMAQUE. – Tu viens de le dire : on ne tue bien que ce qu'on aime.

HECTOR. – Et tu ne peux savoir comme la gamme de la guerre était accordée pour me faire croire à sa noblesse. Le galop nocturne des chevaux, le bruit de vaisselle à la fois et de soie que fait le régiment d'hoplites se frottant contre votre tente, le cri du faucon au-dessus de la compagnie étendue et aux aguets, tout avait sonné jusque-là si juste, si merveilleusement juste…

ANDROMAQUE. – Et la guerre a sonné faux, cette fois ?

HECTOR. – Pour quelle raison ? Est-ce l'âge ? Est-ce simplement cette fatigue du métier dont parfois l'ébéniste sur son pied de table se trouve tout à coup saisi, qui un matin m'a accablé, au moment où penché sur un adversaire de mon âge, j'allais l'achever ? Auparavant ceux que j'allais tuer me semblaient le contraire de moi-même. Cette fois j'étais agenouillé sur un miroir. Cette mort que j'allais donner, c'était un petit suicide. Je ne sais ce que fait l'ébéniste dans ce cas, s'il jette sa varlope, son vernis, ou s'il continue… J'ai continué. Mais de cette minute, rien n'est demeuré de la résonance parfaite. La lance qui a glissé contre mon bouclier a soudain sonné faux, et le choc du tué contre la terre, et, quelques heures plus tard, l'écroulement des palais. Et la guerre d'ailleurs a vu que j'avais compris. Et elle ne se gênait plus… Les cris des mourants sonnaient faux… J'en suis là.

ANDROMAQUE. – Tout sonnait juste pour les autres.

HECTOR. – Les autres sont comme moi. L'armée que j'ai ramenée hait la guerre.

ANDROMAQUE. – C'est une armée à mauvaises oreilles.

HECTOR. – Non. Tu ne saurais t'imaginer combien soudain tout a sonné juste pour elle, voilà une heure, à la vue de Troie. Pas un régiment qui ne soit arrêté d'angoisse à ce concert. Au point que nous n'avons osé entrer durement par les portes, nous nous sommes répandus en groupe autour des murs… C'est la seule tâche digne d'une vraie armée : faire le siège paisible de sa patrie ouverte.

ANDROMAQUE. – Et tu n'as pas compris que c'était là la pire fausseté ! La guerre est dans Troie, Hector ! C'est elle qui vous a reçus aux portes. C'est elle qui me donne à toi ainsi désemparée, et non l'amour.

HECTOR. – Que racontes-tu là ?

ANDROMAQUE. – Ne sais-tu donc pas que Pâris a enlevé Hélène ?

HECTOR. – On vient de me le dire… Et après ?

ANDROMAQUE. – Et que les Grecs la réclament ? Et que leur envoyé arrive aujourd'hui ? Et que si on ne la rend pas, c'est la guerre ?

HECTOR. – Pourquoi ne la rendrait-on pas ? Je la rendrai moi-même.

ANDROMAQUE. – Pâris n'y consentira jamais.

HECTOR. – Pâris m'aura cédé dans quelques minutes. Cassandre me l'amène.

ANDROMAQUE. – Il ne peut te céder. Sa gloire, comme vous dites, l'oblige à ne pas céder. Son amour aussi, comme il dit, peut-être.

HECTOR. – C'est ce que nous allons voir. Cours demander à Priam s'il peut m'entendre à l'instant, et rassure-toi. Tous ceux des Troyens qui ont fait et peuvent faire la guerre ne veulent pas la guerre.

ANDROMAQUE. – Il reste tous les autres.

CASSANDRE. – Voilà Pâris.

Andromaque disparaît.

SCÈNE IV

Cassandre, Hector, Pâris.

HECTOR. – Félicitations, Pâris. Tu as bien occupé notre absence.

PÂRIS. – Pas mal. Merci.

HECTOR. – Alors ? Quelle est cette histoire d'Hélène ?

PÂRIS. – Hélène est une très gentille personne. N'est-ce pas Cassandre ?

CASSANDRE. – Assez gentille.

PÂRIS. – Pourquoi ces réserves, aujourd'hui ? Hier encore tu disais que tu la trouvais très jolie.

CASSANDRE. – Elle est très jolie, mais assez gentille.

PÂRIS. – Elle n'a pas l'air d'une gentille petite gazelle ?

CASSANDRE. – Non.

PÂRIS. – C'est toi-même qui m'as dit qu'elle avait l'air d'une gazelle !

CASSANDRE. – Je m'étais trompée. J'ai revu une gazelle depuis.

HECTOR. – Vous m'ennuyez avec vos gazelles ! Elle ressemble si peu à une femme que cela ?
PÂRIS. – Oh ! Ce n'est pas le type de femme d'ici, évidemment.

CASSANDRE. – Quel est le type de femme d'ici ?

PÂRIS. – Le tien, chère sœur. Un type effroyablement peu distant.

CASSANDRE. – Ta Grecque est distante en amour ?

PÂRIS. – Écoute parler nos vierges !... Tu sais parfaitement ce que je veux dire. J'ai assez des femmes asiatiques. Leurs étreintes sont de la glu, leurs baisers des effractions, leurs paroles de la déglutition. À mesure qu'elles se déshabillent, elles ont l'air de revêtir un vêtement plus chamarré que tous les autres, la nudité, et aussi, avec leurs fards, de vouloir se décalquer sur nous. Et elles se décalquent. Bref, on est terriblement avec elles... Même au milieu de mes bras, Hélène est loin de moi.

HECTOR. – Très intéressant ! Mais tu crois que cela vaut une guerre, de permettre à Pâris de faire l'amour à distance ?

CASSANDRE. – Avec distance... Il aime les femmes distantes, mais de près.

PÂRIS. – L'absence d'Hélène dans sa présence vaut tout.

HECTOR. – Comment l'as-tu enlevée ? Consentement ou contrainte ?

PÂRIS. – Voyons, Hector ! Tu connais les femmes aussi bien que moi. Elles ne consentent qu'à la contrainte. Mais alors avec enthousiasme.

HECTOR. – À cheval ? Et laissant sous ses fenêtres cet amas de crottin qui est la trace des séducteurs ?

PÂRIS. – C'est une enquête ?

HECTOR. – C'est une enquête. Tâche pour une fois de répondre avec précision. Tu n'as pas insulté la maison conjugale, ni la terre grecque ?

PÂRIS. – L'eau grecque, un peu. Elle se baignait...

CASSANDRE. – Elle est née de l'écume, quoi ! La froideur est née de l'écume, comme Vénus.

HECTOR. – Tu n'as pas couvert la plinthe du palais d'inscriptions ou de dessins offensants, comme tu en es coutumier ? Tu n'as pas lâché le premier sur les échos ce mot qu'ils doivent tous redire en ce moment au mari trompé.

PÂRIS. – Non. Ménélas était nu sur le rivage, occupé à se débarrasser l'orteil d'un crabe. Il a regardé filer mon canot comme si le vent emportait ses vêtements.

HECTOR. – L'air furieux ?

PÂRIS. – Le visage d'un roi que pince un crabe n'a jamais exprimé la béatitude.

HECTOR. – Pas d'autres spectateurs ?

PÂRIS. – Mes gabiers.

HECTOR. – Parfait !

PÂRIS. – Pourquoi « parfait » ? Où veux-tu en venir ?

HECTOR. – Je dis « parfait », parce que tu n'as rien commis d'irrémédiable. En somme, puisqu'elle était déshabillée, pas un seul des vêtements d'Hélène, pas un seul de ses objets n'a été insulté. Le corps seul a été souillé. C'est négligeable. Je connais assez les Grecs pour savoir qu'ils tireront une aventure divine et tout à leur honneur, de cette petite reine grecque qui va à la mer, et qui remonte tranquillement après quelques mois de sa plongée, le visage innocent.

CASSANDRE. – Nous garantissons le visage.

PÂRIS. – Tu penses que je vais ramener Hélène à Ménélas ?

HECTOR. – Nous ne t'en demandons pas tant, ni lui… L'envoyé grec s'en charge… Il la repiquera lui-même dans la mer, comme le piqueur de plantes d'eau, à l'endroit désigné. Tu la lui remettras dès ce soir.

PÂRIS. – Je ne sais pas si tu te rends très bien compte de la monstruosité que tu commets, en supposant qu'un homme a devant lui une nuit avec Hélène, et accepte d'y renoncer.

CASSANDRE. – Il te reste un après-midi avec Hélène. Cela fait plus grec.

HECTOR. – N'insiste pas. Nous te connaissons. Ce n'est pas la première séparation que tu acceptes.

PÂRIS. – Mon cher Hector, c'est vrai. Jusqu'ici, j'ai toujours accepté d'assez bon cœur les séparations. La séparation d'avec une femme, fût-ce la plus aimée, comporte un agrément que je sais goûter mieux que personne. La première promenade solitaire dans les rues de la ville au sortir de la dernière étreinte, la vue du premier petit visage de couturière, tout indifférent et tout frais, après le départ de l'amante adorée au nez rougi par les pleurs, le son du premier rire de blanchisseuse ou de fruitière, après les adieux enroués par le désespoir, constituent une jouissance à laquelle je sacrifie bien volontiers les autres… Un seul être vous manque, et tout est repeuplé… Toutes les femmes sont créées à nouveau pour vous, toutes sont à vous, et cela dans la liberté, la dignité, la paix de votre conscience… Oui, tu as bien raison, l'amour comporte des moments vraiment exaltants, ce sont les ruptures… Aussi ne me séparerai-je jamais d'Hélène, car avec elle, j'ai l'impression d'avoir rompu avec toutes les autres femmes, et j'ai mille libertés et mille noblesses au lieu d'une.

HECTOR. – Parce qu'elle ne t'aime pas. Tout ce que tu dis le prouve.

PÂRIS. – Si tu veux. Mais je préfère à toutes les passions cette façon dont Hélène ne m'aime pas.

HECTOR. – J'en suis désolé. Mais tu la rendras.

PÂRIS. – Tu n'es pas le maître ici.

HECTOR. – Je suis ton aîné, et le futur maître.

PÂRIS. – Alors commande dans le futur. Pour le présent, j'obéis à notre père.

HECTOR. – Je n'en demande pas davantage ! Tu es d'accord pour que nous nous en remettions au jugement de Priam ?

PÂRIS. – Parfaitement d'accord.

HECTOR. – Tu le jures ? Nous le jurons ?

CASSANDRE. – Méfie-toi, Hector ! Priam est fou d'Hélène. Il livrerait plutôt ses filles.

HECTOR. – Que racontes-tu là ?

PÂRIS. – Pour une fois qu'elle dit le présent au lieu de l'avenir, c'est la vérité.

CASSANDRE. – Et tous nos frères, et tous nos oncles, et tous nos arrière-grands-oncles !… Hélène a une garde d'honneur, qui assemble tous nos vieillards. Regarde. C'est l'heure de sa promenade… Vois aux créneaux toutes ces têtes à barbe blanche… On dirait les cigognes caquetant sur les remparts.

HECTOR. – Beau spectacle. Les barbes sont blanches et les visages rouges.

CASSANDRE. – Oui. C'est la congestion. Ils devraient être à la porte du Scamandre, par où entrent nos troupes et la victoire. Non, ils sont aux portes Scées, par où sort Hélène.

HECTOR. – Les voilà qui se penchent tout d'un coup, comme les cigognes quand passe un rat.

CASSANDRE. – C'est Hélène qui passe…

PÂRIS. – Ah oui ?

CASSANDRE. – Elle est sur la seconde terrasse. Elle rajuste sa sandale, debout, prenant bien soin de croiser haut les jambes.

HECTOR. – Incroyable. Tous les vieillards de Troie sont là à la regarder d'en haut.

CASSANDRE. – Non. Les plus malins regardent d'en bas.

CRIS AU-DEHORS. – Vive la Beauté !

HECTOR. – Que crient-ils ?

PÂRIS. – Ils crient : « Vive la Beauté ! »

CASSANDRE. – Je suis de leur avis. Qu'ils meurent vite.

CRIS AU-DEHORS. – Vive Vénus !

HECTOR. – Et maintenant ?

CASSANDRE. – Vive Vénus… Ils ne crient que des phrases sans r, à cause de leur manque de dents… Vive la Beauté… Vive Vénus… Vive Hélène… Ils croient proférer des cris. Ils poussent simplement le mâchonnement à sa plus haute puissance.

HECTOR. – Que vient faire Vénus là-dedans ?

CASSANDRE. – Ils ont imaginé que c'était Vénus qui nous donnait Hélène… Pour récompenser Pâris de lui avoir décerné la pomme à première vue.

HECTOR. – Tu as fait aussi un beau coup ce jour-là !

PÂRIS. – Ce que tu es frère aîné !

Les mêmes, deux vieillards.

PREMIER VIEILLARD. – D'en bas, nous la voyions mieux…

SECOND VIEILLARD. – Nous l'avons même bien vue !

PREMIER VIEILLARD. – Mais d'ici elle nous entend mieux. Allez ! Une, deux, trois !

TOUS DEUX. – Vive Hélène !

DEUXIÈME VIEILLARD. – C'est un peu fatigant, à notre âge, d'avoir à descendre et à remonter constamment par des escaliers impossibles, selon que nous voulons la voir ou l'acclamer.

PREMIER VIEILLARD. – Veux-tu que nous alternions. Un jour nous l'acclamerons ? Un jour nous la regarderons ?

DEUXIÈME VIEILLARD. – Tu es fou, un jour sans bien voir Hélène !… Songe à ce que nous avons vu d'elle aujourd'hui ! Une, deux, trois !

TOUS DEUX. – Vive Hélène !

PREMIER VIEILLARD. – Et maintenant en bas !…

Ils disparaissent en courant.

CASSANDRE. – Et tu les vois, Hector. Je me demande comment vont résister tous ces poumons besogneux.

HECTOR. – Notre père ne peut être ainsi.

PÂRIS. – Dis-moi, Hector, avant de nous expliquer devant lui tu pourrais peut-être jeter un coup d'œil sur Hélène.

HECTOR. – Je me moque d'Hélène… Oh ! Père, salut !

Priam est entré, escorté d'Hécube, d'Andromaque, du poète Demokos et d'un autre vieillard. Hécube tient à la main la petite Polyxène.

Hécube, Andromaque, Cassandre, Hector, Pâris, Demokos, la petite Po-
lyxène, le Géomètre.

PRIAM. – Tu dis ?

HECTOR. – Je dis, père, que nous devons nous précipiter pour fermer les
portes de la guerre, les verrouiller, les cadenasser. Il ne faut pas qu'un moucheron puisse passer entre les deux battants !

PRIAM. – Ta phrase m'a paru moins longue.

DEMOKOS. – Il disait qu'il se moquait d'Hélène.

PRIAM. – Penche-toi… *(Hector obéit.)* Tu la vois ?

HÉCUBE. – Mais oui, il la voit. Je me demande qui ne la verrait pas et qui
ne l'a pas vue. Elle fait le chemin de ronde.

DEMOKOS. – C'est la ronde de la beauté.

PRIAM. – Tu la vois ?

HECTOR. – Oui… Et après ?

DEMOKOS. – Priam te demande ce que tu vois !

HECTOR. – Je vois une femme qui rajuste sa sandale.

CASSANDRE. – Elle met un certain temps à rajuster sa sandale.

PÂRIS. – Je l'ai emportée nue et sans garde-robe. Ce sont des sandales à
toi. Elles sont un peu grandes.

CASSANDRE. – Tout est grand pour les petites femmes.

HECTOR. – Je vois deux fesses charmantes.

HÉCUBE. – Il voit tout ce que vous tous voyez.

PRIAM. – Mon pauvre enfant !

HECTOR. – Quoi ?

DEMOKOS. – Priam te dit : pauvre enfant !

PRIAM. – Oui, je ne savais pas que la jeunesse de Troie en était là.

HECTOR. – Où en est-elle ?

PRIAM. – À l'ignorance de la beauté.

DEMOKOS. – Et par conséquent de l'amour. Au réalisme, quoi ! Nous autres poètes appelons cela le réalisme.

HECTOR. – Et la vieillesse de Troie en est à la beauté et à l'amour ?

HÉCUBE. – C'est dans l'ordre. Ce ne sont pas ceux qui font l'amour ou ceux qui sont la beauté qui ont à les comprendre.

HECTOR. – C'est très courant, la beauté, père. Je ne fais pas allusion à Hélène, mais elle court les rues.

PRIAM. – Hector, ne sois pas de mauvaise foi. Il t'est bien arrivé dans la vie, à l'aspect d'une femme, de ressentir qu'elle n'était pas seulement elle-même, mais que tout un flux d'idées et de sentiments avait coulé en sa chair et en prenait l'éclat ?

DEMOKOS. – Ainsi le rubis personnifie le sang.

HECTOR. – Pas pour ceux qui ont vu du sang. Je sors d'en prendre.

DEMOKOS. – Un symbole, quoi ! Tout guerrier que tu es, tu as bien entendu parler des symboles ! Tu as bien rencontré des femmes qui, d'aussi loin que tu les apercevais, te semblaient personnifier l'intelligence, l'harmonie, la douceur ?

HECTOR. – J'en ai vu.

DEMOKOS. – Que faisais-tu alors ?

HECTOR. – Je m'approchais et c'était fini… Que personnifie celle-là ?

DEMOKOS. – On te le répète, la beauté.

HÉCUBE. – Allez, rendez-la vite aux Grecs, si vous voulez qu'elle vous la personnifie pour longtemps. C'est une blonde.

DEMOKOS. – Impossible de parler avec ces femmes !

HÉCUBE. – Alors ne parlez pas des femmes ! Vous n'êtes guère galants, en tout cas, ni patriotes. Chaque peuple remise son symbole dans sa femme, qu'elle soit camuse ou lippue. Il n'y a que vous pour aller le loger ailleurs.

HECTOR. – Père, mes camarades et moi rentrons harassés. Nous avons pacifié notre continent pour toujours. Nous entendons désormais vivre heureux, nous entendons que nos femmes puissent nous aimer sans angoisse et avoir leurs enfants.

DEMOKOS. – Sages principes, mais jamais la guerre n'a empêché d'accoucher.

HECTOR. – Dis-moi pourquoi nous trouvons la ville transformée, du seul fait d'Hélène ! Dis-moi ce qu'elle nous a apporté, qui vaille une brouille avec les Grecs !

LE GÉOMÈTRE. – Tout le monde te le dira ! Moi je peux te le dire !

HÉCUBE. – Voilà le Géomètre !

LE GÉOMÈTRE. – Oui, voilà le Géomètre ! Et ne crois pas que les géomètres n'aient pas à s'occuper des femmes ! Ils sont les arpenteurs aussi de votre apparence. Je ne te dirai pas ce qu'ils souffrent, les géomètres, d'une épaisseur de peau en trop à vos cuisses ou d'un bourrelet à votre cou… Eh bien, les géomètres jusqu'à ce jour n'étaient pas satisfaits de cette contrée qui entoure Troie. La ligne d'attache de la plaine aux collines leur semblait molle, la ligne des collines aux montagnes du fil de fer. Or, depuis qu'Hélène est ici, le paysage a pris son sens et sa fermeté. Et, chose particulièrement sensible aux vrais géomètres, il n'y a plus à l'espace et au volume qu'une commune mesure qui est Hélène. C'est la mort de tous ces instruments inventés par les hommes pour rapetisser l'univers. Il n'y a plus de mètres, de grammes, de lieues. Il n'y a plus que le pas d'Hélène, la portée du regard ou de la voix d'Hélène, et l'air de son passage est la mesure des vents. Elle est notre baromètre, notre anémomètre ! Voilà ce qu'ils te disent, les géomètres.

HÉCUBE. – Il pleure, l'idiot.

PRIAM. – Mon cher fils, regarde seulement cette foule, et tu comprendras ce qu'est Hélène. Elle est une espèce d'absolution. Elle prouve à tous ces vieillards que tu vois là au guet et qui ont mis des cheveux blancs au fronton de la ville, à celui-là qui a volé, à celui-là qui trafiquait des femmes, à celui-là qui manqua sa vie, qu'ils avaient au fond d'eux-mêmes une revendication secrète, qui était la beauté. Si la beauté avait été près d'eux, aussi près qu'Hélène l'est aujourd'hui, ils n'auraient pas dévalisé leurs amis, ni vendu leurs filles, ni bu leur héritage. Hélène est leur pardon, et leur revanche, et leur avenir.

HECTOR. – L'avenir des vieillards me laisse indifférent.

DEMOKOS. – Hector, je suis poète et juge en poète. Suppose que notre vocabulaire ne soit pas quelquefois touché par la beauté ! Suppose que le mot délice n'existe pas !

HECTOR. – Nous nous en passerions. Je m'en passe déjà. Je ne prononce le mot délice qu'absolument forcé.

DEMOKOS. – Oui, et tu te passerais du mot volupté, sans doute ?

HECTOR. – Si c'était au prix de la guerre qu'il fallût acheter le mot volupté, je m'en passerais.

DEMOKOS. – C'est au prix de la guerre que tu as trouvé le plus beau, le mot courage.

HECTOR. – C'était bien payé.

HÉCUBE. – Le mot lâcheté a dû être trouvé par la même occasion.

PRIAM. – Mon fils, pourquoi te forces-tu à ne pas nous comprendre ?

HECTOR. – Je vous comprends fort bien. À l'aide d'un quiproquo, en prétendant nous faire battre pour la beauté, vous voulez nous faire battre pour une femme.

PRIAM. – Et tu ne ferais la guerre pour aucune femme ?

HECTOR. – Certainement non !

HÉCUBE. – Et il aurait rudement raison.

CASSANDRE. – S'il n'y en avait qu'une peut-être. Mais ce chiffre est largement dépassé.

DEMOKOS. – Tu ne ferais pas la guerre pour reprendre Andromaque ?

HECTOR. – Andromaque et moi avons déjà convenu de moyens secrets pour échapper à toute prison et nous rejoindre.

DEMOKOS. – Pour vous rejoindre, si tout espoir est perdu ?

ANDROMAQUE. – Pour cela aussi.

HÉCUBE. – Tu as bien fait de les démasquer, Hector. Ils veulent faire la guerre pour une femme, c'est la façon d'aimer des impuissants.

DEMOKOS. – C'est vous donner beaucoup de prix ?

HÉCUBE. – Ah oui ! par exemple !

DEMOKOS. – Permets-moi de ne pas être de ton avis. Le sexe à qui je dois ma mère, je le respecterai jusqu'en ses représentantes les moins dignes.

HÉCUBE. – Nous le savons. Tu l'y as déjà respecté…

Les servantes accourues au bruit de la dispute éclatent de rire.

PRIAM. – Hécube ! Mes filles ! Que signifie cette révolte de gynécée ? Le conseil se demande s'il ne mettra pas la ville en jeu pour l'une d'entre vous ; et vous en êtes humiliées ?

ANDROMAQUE. – Il n'est qu'une humiliation pour la femme, l'injustice.

DEMOKOS. – C'est vraiment pénible de constater que les femmes sont les dernières à savoir ce qu'est la femme.

LA JEUNE SERVANTE qui repasse. – Oh ! là ! là !

HÉCUBE. – Elles le savent parfaitement. Je vais vous le dire, moi, ce qu'est la femme.

DEMOKOS. – Ne les laisse pas parler, Priam. On ne sait jamais ce qu'elles peuvent dire.

HÉCUBE. – Elles peuvent dire la vérité.

PRIAM. – Je n'ai qu'à penser à l'une de vous, mes chéries, pour savoir ce qu'est la femme.

DEMOKOS. – Primo. Elle est le principe de notre énergie. Tu le sais bien, Hector. Les guerriers qui n'ont pas un portrait de femme dans leur sac ne valent rien.

CASSANDRE. – De votre orgueil, oui.

HÉCUBE. – De vos vices.

ANDROMAQUE. – C'est un pauvre tas d'incertitude, un pauvre amas de crainte, qui déteste ce qui est lourd, qui adore ce qui est vulgaire et facile.

HECTOR. – Chère Andromaque !

HÉCUBE. – C'est très simple. Voilà cinquante ans que je suis femme et je n'ai jamais pu encore savoir au juste ce que j'étais.

DEMOKOS. – Secundo. Qu'elle le veuille ou non, elle est la seule prime du courage… Demandez au moindre soldat. Tuer un homme, c'est mériter une femme.

ANDROMAQUE. – Elle aime les lâches, les libertins. Si Hector était lâche ou libertin, je l'aimerais autant. Je l'aimerais peut-être davantage.

PRIAM. – Ne va pas trop loin, Andromaque. Tu prouverais le contraire de ce que tu veux prouver.

LA PETITE POLYXÈNE. – Elle est gourmande. Elle ment.

DEMOKOS. – Et de ce que représentent dans la vie humaine la fidélité, la pureté, nous n'en parlons pas, hein ?

LA SERVANTE. – Oh ! là ! là !

DEMOKOS. – Que racontes-tu, toi ?

LA SERVANTE. – Je dis : Oh ! là ! là ! Je dis ce que je pense.

LA PETITE POLYXÈNE. – Elle casse ses jouets. Elle leur plonge la tête dans l'eau bouillante.

HÉCUBE. – À mesure que nous vieillissons, nous les femmes, nous voyons clairement ce qu'ont été les hommes, des hypocrites, des vantards, des boucs. À mesure que les hommes vieillissent, ils nous parent de toutes les perfections. Il n'est pas un souillon accolé derrière un mur qui ne se transforme dans vos souvenirs en créature d'amour.

PRIAM. – Tu m'as trompé, toi ?

HÉCUBE. – Avec toi-même seulement, mais cent fois.

DEMOKOS. – Andromaque a trompé Hector ?

HÉCUBE. – Laisse donc Andromaque tranquille. Elle n'a rien à voir dans les histoires de femme.

ANDROMAQUE. – Si Hector n'était pas mon mari, je le tromperais avec lui-même. S'il était un pêcheur pied bot, bancal, j'irais le poursuivre jusque dans sa cabane. Je m'étendrais dans les écailles d'huîtres et les algues. J'aurais de lui un fils adultère.

LA PETITE POLYXÈNE. – Elle s'amuse à ne pas dormir la nuit, tout en fermant les yeux.

HÉCUBE *à Polyxène*. – Oui, tu peux en parler, toi ! C'est épouvantable ! Que je t'y reprenne !

LA SERVANTE. – Il n'y a pire que l'homme. Mais celui-là !

DEMOKOS. – Et tant pis si la femme nous trompe ! Tant pis si elle-même méprise sa dignité et sa valeur. Puisqu'elle n'est pas capable de maintenir en elle cette forme idéale qui la maintient rigide et écarte les rides de l'âme, c'est à nous de le faire…

LA SERVANTE. – Ah ! le bel embauchoir !

PÂRIS. – Il n'y a qu'une chose qu'elles oublient de dire : Qu'elles ne sont pas jalouses.

PRIAM. – Chères filles, votre révolte même prouve que nous avons raison. Est-il une plus grande générosité que celle qui vous pousse à vous battre en ce moment pour la paix, la paix qui donnera des maris veules, inoccupés, fuyants, quand la guerre vous fera d'eux des hommes !…

DEMOKOS. – Des héros.

HÉCUBE. – Nous connaissons le vocabulaire. L'homme en temps de guerre s'appelle le héros. Il peut ne pas en être plus brave, et fuir à toutes jambes. Mais c'est du moins un héros qui détale.

ANDROMAQUE. – Mon père, je vous en supplie. Si vous avez cette amitié pour les femmes, écoutez ce que toutes les femmes du monde vous disent par ma voix. Laissez-nous nos maris comme ils sont. Pour qu'ils gardent leur agilité et leur courage, les dieux ont créé autour d'eux tant d'entraîneurs vivants ou non vivants ! Quand ce ne serait que l'orage ! Quand ce ne serait que les bêtes ! Aussi longtemps qu'il y aura des loups, des éléphants, des onces, l'homme aura mieux que l'homme comme émule et comme adversaire. Tous ces grands oiseaux qui volent autour de nous, ces lièvres dont nous les femmes confondons le poil avec les bruyères, sont de plus sûrs garants de la vue perçante de nos maris que l'autre cible, que le cœur de l'ennemi emprisonné dans sa cuirasse. Chaque fois que j'ai vu tuer un cerf ou un aigle, je l'ai remercié. Je savais qu'il mourait pour Hector. Pourquoi voulez-vous que je doive Hector à la mort d'autres hommes ?

PRIAM. – Je ne le veux pas, ma petite chérie. Mais savez-vous pourquoi vous êtes là, toutes si belles et si vaillantes ? C'est parce que vos maris et vos pères et vos aïeux furent des guerriers. S'ils avaient été paresseux aux armes, s'ils n'avaient pas su que cette occupation terne et stupide qu'est la vie se justifie soudain et s'illumine par le mépris que les hommes ont d'elle, c'est vous qui seriez lâches et réclameriez la guerre. Il n'y a pas deux façons de se rendre immortel ici-bas, c'est d'oublier qu'on est mortel.

ANDROMAQUE. – Oh ! justement, Père, vous le savez bien ! Ce sont les braves qui meurent à la guerre. Pour ne pas y être tué, il faut un grand hasard ou une grande habileté. Il faut avoir courbé la tête ou s'être age-nouillé au moins une fois devant le danger. Les soldats qui défilent sous les arcs de triomphe sont ceux qui ont déserté la mort. Comment un pays pourrait-il gagner dans son honneur et dans sa force en les perdant tous les deux ?

PRIAM. – Ma fille, la première lâcheté est la première ride d'un peuple.

ANDROMAQUE. – Où est la pire lâcheté ? Paraître lâche vis-à-vis des autres, et assurer la paix ? Ou être lâche vis-à-vis de soi-même et provoquer la guerre ?

DEMOKOS. – La lâcheté est de ne pas préférer à toute mort la mort pour son pays.

HÉCUBE. – J'attendais la poésie à ce tournant. Elle n'en manque pas une.

ANDROMAQUE. – On meurt toujours pour son pays ! Quand on a vécu en lui digne, actif, sage, c'est pour lui aussi qu'on meurt. Les tués ne sont pas tranquilles sous la terre, Priam. Ils ne se fondent pas en elle pour le repos et l'aménagement éternel. Ils ne deviennent pas sa glèbe, sa chair. Quand on retrouve sans le sol une ossature humaine, il y a toujours une épée près d'elle. C'est un os de la terre, un os stérile. C'est un guerrier.

HÉCUBE. – Ou alors que les vieillards soient les seuls guerriers. Tout pays est le pays de la jeunesse. Il meurt quand la jeunesse meurt.
DEMOKOS. – Vous nous ennuyez avec votre jeunesse. Elle sera la vieil-lesse dans trente ans.

CASSANDRE. – Erreur.

HÉCUBE. – Erreur ! Quand l'homme adulte touche à ses quarante ans, on lui substitue un vieillard. Lui disparaît. Il n'y a que des rapports d'apparence entre les deux. Rien de l'un ne continue en l'autre.

DEMOKOS. – Le souci de ma gloire a continué, Hécube.

HÉCUBE. – C'est vrai. Et les rhumatismes…

Nouveaux éclats de rire des servantes.

HECTOR. – Et tu écoutes cela sans mot dire, Pâris ! Et il ne te vient pas à l'esprit de sacrifier une aventure pour nous sauver d'années de discorde et de massacre ?

PÂRIS. – Que veux-tu que je te dise ! Mon cas est international.

HECTOR. – Aimes-tu vraiment Hélène, Pâris ?

CASSANDRE. – Ils sont le symbole de l'amour. Ils n'ont même plus à s'aimer.

PÂRIS. – J'adore Hélène.

CASSANDRE, *au rempart.* – La voilà, Hélène.

HECTOR – Si je la convaincs de s'embarquer, tu acceptes ?

PÂRIS – J'accepte, oui.

HECTOR – Père, si Hélène consent à repartir pour la Grèce, vous la retiendrez de force ?

PRIAM – Pourquoi mettre en question l'impossible ?

HÉCUBE – Et pourquoi l'impossible ? Si les femmes sont le quart de ce que vous prétendez, Hélène partira d'elle-même.

PÂRIS – Père, c'est moi qui vous en prie. Vous les voyez et les entendez. Cette tribu royale, dès qu'il est question d'Hélène, devient aussitôt un assemblage de belle-mère, de belles-sœurs, et de beau-père digne de la meilleure bourgeoisie. Je ne connais pas d'emploi plus humiliant dans une famille nombreuse que le rôle du fils séducteur. J'en ai assez de leurs insinuations. J'accepte le défi d'Hector.

DEMOKOS – Hélène n'est pas à toi seul, Pâris. Elle est à la ville. Elle est au pays.

LE GÉOMÈTRE – Elle est au paysage.

HÉCUBE – Tais-toi, géomètre.

CASSANDRE – Là voilà, Hélène…

HECTOR. – Père, je vous le demande. Laissez-moi ce recours. Écoutez… On nous appelle pour la cérémonie. Laissez-moi et je vous rejoins.

PRIAM. – Vraiment, tu acceptes, Pâris ?

PÂRIS. – Je vous en conjure.

PRIAM. – Soit. Venez mes enfants. Allons préparer les portes de la guerre.

CASSANDRE. – Pauvres portes. Il faut plus d'huile pour les fermer que pour les ouvrir.

Priam et sa suite s'éloignent. Demokos est resté.

HECTOR. – Qu'attends-tu là ?

DEMOKOS. – Mes transes.

HECTOR. – Tu dis ?

DEMOKOS – Chaque fois qu'Hélène apparaît, l'inspiration me saisit. Je délire, j'écume et j'improvise. Ciel, la voilà !

Il déclame.

Belle Hélène, Hélène de Sparte,
À gorge douce, à noble chef.

Les dieux nous gardent que tu partes,
Vers ton Ménélas derechef !

HECTOR. – Tu as fini de terminer tes vers avec ces coups de marteau qui nous enfoncent le crâne.

DEMOKOS. – C'est une invention à moi. J'obtiens des effets bien plus surprenants encore. Écoute :

Viens sans peur au-devant d'Hector,
La gloire et l'effroi du Scamandre !
Tu as raison et lui as tort…
Car il est dur et tu es tendre…

HECTOR. – File !

DEMOKOS. – Qu'as-tu à me regarder ainsi ? Tu as l'air de détester autant la poésie que la guerre.

HECTOR. – Va ! Ce sont les deux sœurs !

Le poète disparaît.

CASSANDRE *annonçant*. – Hélène !

Hélène, Pâris, Hector.

PÂRIS. – Hélène chérie, voici Hector. Il a des projets sur toi, des projets tout simples. Il veut te rendre aux Grecs et te prouver que tu ne m'aimes pas… Dis-moi que tu m'aimes, avant que je te laisse avec lui… Dis-le-moi comme tu le penses.

HÉLÈNE. – Je t'adore, chéri.

PÂRIS. – Dis-moi qu'elle était belle, la vague qui t'emporta de Grèce !

HÉLÈNE. – Magnifique ! Une vague magnifique !… Où as-tu vu une vague ? La mer était si calme…

PÂRIS. – Dis-moi que tu hais Ménélas…

HÉLÈNE. – Ménélas ? Je le hais.

PÂRIS. – Tu n'as pas fini… Je ne retournerai jamais en Grèce. Répète.

HÉLÈNE. – Tu ne retourneras jamais en Grèce.

PÂRIS. – Non, c'est de toi qu'il s'agit.

HÉLÈNE. – Bien sûr ! Que je suis sotte !… Jamais je ne retournerai en Grèce.

PÂRIS. – Je ne le lui fais pas dire… À toi maintenant.

Il s'en va.

Hélène, Hector.

HECTOR. – C'est beau, la Grèce ?

HÉLÈNE. – Pâris l'a trouvée belle.

HECTOR. – Je vous demande si c'est beau la Grèce sans Hélène.

HÉLÈNE. – Merci pour Hélène.

HECTOR. – Enfin, comment est-ce, depuis qu'on en parle ?

HÉLÈNE. – C'est beaucoup de rois et de chèvres éparpillés sur du marbre.

HECTOR. – Si les rois sont dorés et les chèvres angora, cela ne doit pas être mal au soleil levant.

HÉLÈNE. – Je me lève tard.

HECTOR. – Des dieux aussi, en quantité ? Pâris dit que le ciel en grouille, que des jambes de déesses en pendent.

HÉLÈNE. – Pâris va toujours le nez levé. Il peut les avoir vues.

HECTOR. – Vous, non ?

HÉLÈNE. – Je ne suis pas douée. Je n'ai jamais pu voir un poisson dans la mer. Je regarderai mieux quand j'y retournerai.

HECTOR. – Vous venez de dire à Pâris que vous n'y retourneriez jamais.

HÉLÈNE. – Il m'a priée de le dire. J'adore obéir à Pâris.

HECTOR. – Je vois. C'est comme pour Ménélas. Vous ne le haïssez pas ?

HÉLÈNE. – Pourquoi le haïrais-je ?

HECTOR. – Pour la seule raison qui fasse vraiment haïr. Vous l'avez trop vu.

HÉLÈNE. – Ménélas ? Oh ! non ! Je n'ai jamais bien vu Ménélas, ce qui s'appelle vu. Au contraire.

HECTOR. – Votre mari ?

HÉLÈNE. – Entre les objets et les êtres, certains sont colorés pour moi. Ceux-là je les vois. Je crois en eux. Je n'ai jamais bien pu voir Ménélas.

HECTOR. – Il a dû pourtant s'approcher très près.

HÉLÈNE. – J'ai pu le toucher. Je ne peux pas dire que je l'ai vu.

HECTOR. – On dit qu'il ne vous quittait pas.

HÉLÈNE. – Évidemment. J'ai dû le traverser bien des fois sans m'en douter.

HECTOR. – Tandis que vous avez vu Pâris ?

HÉLÈNE. – Sur le ciel, sur le sol, comme une découpure.

HECTOR. – Il s'y découpe encore. Regardez-le, là-bas, adossé au rempart.

HÉLÈNE. – Vous êtes sûr que c'est Pâris, là-bas ?

HECTOR. – C'est lui qui vous attend.

HÉLÈNE. – Tiens ! il est beaucoup moins net !

HECTOR. – Le mur est cependant passé à la chaux fraîche. Tenez, le voilà de profil !

HÉLÈNE. – C'est curieux comme ceux qui vous attendent se découpent moins bien que ceux que l'on attend !

HECTOR. – Vous êtes sûre qu'il vous aime, Pâris ?

HÉLÈNE. – Je n'aime pas beaucoup connaître les sentiments des autres. Rien ne me gêne comme cela. C'est comme au jeu, quand on voit dans le jeu de l'adversaire. On est sûr de perdre.

HECTOR. – Et vous, vous l'aimez ?

HÉLÈNE. – Je n'aime pas beaucoup connaître non plus mes propres sentiments.

HECTOR. – Voyons ! Quand vous venez d'aimer Pâris, qu'il s'assoupit dans vos bras, quand vous êtes encore ceinturée par Pâris, comblée par Pâris, vous n'avez aucune pensée ?

HÉLÈNE. – Mon rôle est fini. Je laisse l'univers penser à ma place. Cela, il le fait mieux que moi.

HECTOR. – Mais le plaisir vous rattache bien à quelqu'un, aux autres ou à vous-même.

HÉLÈNE. – Je connais surtout le plaisir des autres… Il m'éloigne des deux…

HECTOR. – Il y a eu beaucoup de ces autres, avant Pâris ?

HÉLÈNE. – Quelques-uns.

HECTOR. – Et il y en aura d'autres après lui, n'est-ce pas, pourvu qu'ils se découpent sur l'horizon, sur le mur ou sur le drap ? C'est bien ce que je supposais. Vous n'aimez pas Pâris, Hélène. Vous aimez les hommes !

HÉLÈNE. – Je ne les déteste pas. C'est agréable de les frotter contre soi comme de grands savons. On en est toute pure…

HECTOR. – Cassandre ! Cassandre !

Hélène, Cassandre, Hector.

CASSANDRE. – Qu'y a-t-il ?

HECTOR. – Tu me fais rire. Ce sont toujours les devineresses qui questionnent.

CASSANDRE. – Pourquoi m'appelles-tu ?

HECTOR. – Cassandre, Hélène repart ce soir avec l'envoyé grec.

HÉLÈNE. – Moi ? Que contez-vous là ?

HECTOR. – Vous ne venez pas de me dire que vous n'aimez pas très particulièrement Pâris ?

HÉLÈNE. – Vous interprétez. Enfin, si vous voulez.

HECTOR. – Je cite mes auteurs. Que vous aimez surtout frotter les hommes contre vous comme de grands savons ?

HÉLÈNE. – Oui. Ou de la pierre ponce, si vous aimez mieux. Et alors ?

HECTOR. – Et alors, entre ce retour vers la Grèce qui ne vous déplait pas, et une catastrophe aussi redoutable que la guerre, vous hésiteriez à choisir ?

HÉLÈNE. – Vous ne me comprenez pas du tout, Hector. Je n'hésite pas à choisir. Ce serait trop facile de dire : je fais ceci, ou je fais cela, pour que ceci ou cela se fît. Vous avez découvert que je suis faible. Vous en êtes tout joyeux. L'homme qui découvre la faiblesse dans une femme, c'est le chasseur à midi qui découvre une source. Il s'en abreuve. Mais n'allez pourtant pas croire, parce que vous avez convaincu la plus faible des femmes, que vous avez convaincu l'avenir. Ce n'est pas en manœuvrant des enfants qu'on détermine le destin…

HECTOR. – Les subtilités et les riens grecs m'échappent.

HÉLÈNE. – Il ne s'agit pas de subtilités et de riens. Il s'agit au moins de monstres et de pyramides.

HECTOR. – Choisissez-vous le départ, oui ou non ?

HÉLÈNE. – Ne me brusquez pas… Je choisis les événements comme je choisis les objets et les hommes. Je choisis ceux qui ne sont pas pour moi des ombres. Je choisis ceux que je vois.

HECTOR. – Je sais, vous l'avez dit : ceux que vous voyez colorés. Et vous ne vous voyez pas rentrant dans quelques jours au palais de Ménélas ?

HÉLÈNE. – Non. Difficilement.

HECTOR. – On peut habiller votre mari très brillant pour ce retour.

HÉLÈNE. – Toute la pourpre de toutes les coquilles ne me le rendrait pas visible.

HECTOR. – Voici ta concurrente, Cassandre. Celle-là aussi lit l'avenir.

HÉLÈNE. – Je ne lis pas l'avenir. Mais, dans cet avenir, je vois des scènes colorées, d'autres ternes. Jusqu'ici ce sont toujours les scènes colorées qui ont eu lieu.

HECTOR. – Nous allons vous remettre aux Grecs en plein midi, sur le sable aveuglant, entre la mer violette et le mur ocre. Nous serons tous en cuirasse d'or à jupe rouge, et entre mon étalon blanc et la jument noire de Priam, mes sœurs en péplum vert vous remettront nue à l'ambassadeur grec, dont je devine, au-dessus du casque d'argent, le plumet amarante. Vous voyez cela, je pense ?

HÉLÈNE. – Non, du tout. C'est tout sombre.

HECTOR. – Vous vous moquez de moi, n'est-ce pas ?

HÉLÈNE. – Me moquer, pourquoi ? Allons ! Partons, si vous voulez ! Allons nous préparer pour ma remise aux Grecs. Nous verrons bien.

HECTOR. – Vous doutez-vous que vous insultez l'humanité, ou est-ce inconscient ?

HÉLÈNE. – J'insulte quoi ?

HECTOR. – Vous doutez-vous que votre album de chromos est la dérision du monde ? Alors que tous ici nous nous battons, nous nous sacrifions pour fabriquer une heure qui soit à nous, vous êtes là à feuilleter vos gravures prêtes de toute éternité !… Qu'avez-vous ? À laquelle vous arrêtez-vous avec ces yeux aveugles ? À celle sans doute où vous êtes sur ce même rempart, contemplant la bataille ? Vous la voyez, la bataille ?

HÉLÈNE. – Oui.

HECTOR. – Et la ville s'effondre ou brûle, n'est-ce pas ?

HÉLÈNE. – Oui. C'est rouge vif.

HECTOR. – Et Pâris ? Vous voyez le cadavre de Pâris traîné derrière un char ?

HÉLÈNE. – Ah ! Vous croyez que c'est Pâris ? Je vois en effet un morceau d'aurore qui roule dans la poussière. Un diamant à sa main étincelle… Mais oui !… Je reconnais souvent mal les visages, mais toujours les bijoux. C'est bien sa bague.

HECTOR. – Parfait… Je n'ose vous questionnez sur Andromaque et sur moi… sur le groupe Andromaque-Hector… Vous le voyez ! Ne niez pas. Comment le voyez-vous ? Heureux, vieilli, luisant ?

HÉLÈNE. – Je n'essaye pas de le voir !

HECTOR. – Et le groupe Andromaque pleurant sur le corps d'Hector, il luit ?

HÉLÈNE. – Vous savez, je peux très bien voir luisant, extraordinairement luisant, et qu'il n'arrive rien. Personne n'est infaillible.

HECTOR. – N'insistez pas. Je comprends… Il y a un fils entre la mère qui pleure et le père étendu ?

HÉLÈNE. – Oui… Il joue avec les cheveux emmêlés du père… Il est charmant.

HECTOR. – Et elles sont au fond de vos yeux ces scènes ? On peut les y voir ?

HÉLÈNE. – Je ne sais pas. Regardez.

HECTOR. – Plus rien ! Plus rien que la cendre de tous ces incendies, l'émeraude et l'or en poudre ! Qu'elle est pure, la lentille du monde ! Ce ne sont pourtant pas les pleurs qui doivent la laver… Tu pleurerais, si on allait te tuer, Hélène ?

HÉLÈNE. – Je ne sais pas. Mais je crierais. Et je sens que je vais crier, si vous continuez ainsi, Hector… Je vais crier.

HECTOR. – Tu repartiras ce soir pour la Grèce, Hélène, ou je te tue.

HÉLÈNE. – Mais je veux bien partir ! Je suis prête à partir. Je vous répète simplement que je ne peux arriver à rien distinguer du navire qui m'emportera. Je ne vois scintiller ni la ferrure du mât de misaine, ni l'anneau du nez du capitaine, ni le blanc de l'œil du mousse.

HECTOR. – Tu rentreras sur une mer grise, sous un soleil gris. Mais il nous faut la paix.

HÉLÈNE. – Je ne vois pas la paix.

HECTOR. – Demande à Cassandre de te la montrer. Elle est sorcière. Elle évoque formes et génies.

UN MESSAGER. – Hector, Priam te réclame ! Les prêtres s'opposent à ce que l'on ferme les portes de la guerre ! Ils disent que les dieux y verraient une insulte.

HECTOR. – C'est curieux comme les dieux s'abstiennent de parler eux-mêmes dans les cas difficiles.

LE MESSAGER. – Ils ont parlé eux-mêmes. La foudre est tombée sur le temple, et les entrailles des victimes sont contre le renvoi d'Hélène.

HECTOR. – Je donnerais beaucoup pour consulter aussi les entrailles des prêtres… Je te suis.

Le guerrier sort.

HECTOR. – Ainsi, vous êtes d'accord, Hélène ?

HÉLÈNE. – Oui.

HECTOR. – Vous direz désormais ce que je vous dirai de dire ? Vous ferez ce que je vous dirai de faire ?

HÉLÈNE. – Oui.

HECTOR. – Devant Ulysse, vous ne me contredirez pas, vous abonderez dans mon sens ?

HÉLÈNE. – Oui.

HECTOR. – Écoute-là, Cassandre, Écoute ce bloc de négation qui dit oui ! Tous m'ont cédé. Pâris m'a cédé, Priam m'a cédé, Hélène me cède. Et je sens qu'au contraire dans chacune de ces victoires apparentes, j'ai perdu. On croit lutter contre des géants, on va les vaincre, et il se trouve qu'on lutte contre quelque chose d'inflexible qui est un reflet sur la rétine d'une femme. Tu as beau me dire oui, Hélène, tu es comble d'une obstination qui me nargue !

HÉLÈNE. – C'est possible. Mais je n'y peux rien. Ce n'est pas la mienne.

HECTOR. – Par quelle divagation le monde a-t-il été placer son miroir dans cette tête obtuse !

HÉLÈNE. – C'est regrettable, évidemment. Mais vous voyez un moyen de vaincre l'obstination des miroirs ?

HECTOR. – Oui. C'est à cela que je songe depuis un moment.

HÉLÈNE. – Si on les brise, ce qu'ils reflétaient n'en demeure peut-être pas moins ?

HECTOR. – C'est là toute la question.

AUTRE MESSAGER. – Hector, hâte-toi. La plage est en révolte. Les navires des Grecs sont en vue, et ils ont hissé leur pavillon non au ramat mais à l'écoutière. L'honneur de notre marine est en jeu. Priam craint que l'envoyé ne soit massacré à son débarquement.

HECTOR. – Je te confie Hélène, Cassandre. J'enverrai mes ordres.

SCÈNE X

Hélène, Cassandre.

CASSANDRE. – Moi je ne vois rien, coloré ou terne. Mais chaque être pèse sur moi par son approche même. À l'angoisse de mes veines, je sens son destin.

HÉLÈNE. – Moi, dans mes scènes colorées, je vois quelquefois un détail plus étincelant encore que les autres. Je ne l'ai pas dit à Hector. Mais le cou de son fils est illuminé, la place du cou où bat l'artère…

CASSANDRE. – Moi, je suis comme un aveugle qui va à tâtons. Mais c'est au milieu de la vérité que je suis aveugle. Eux tous voient, et ils voient le mensonge. Je tâte la vérité.

HÉLÈNE. – Notre avantage, c'est que nos visions se confondent avec nos souvenirs, l'avenir avec le passé ! On devient moins sensible… C'est vrai que vous êtes sorcière, que vous pouvez évoquer la paix ?

CASSANDRE. – La paix ? Très facile. Elle écoute en mendiante derrière chaque porte… La voilà.

La paix apparaît.

HÉLÈNE. – Comme elle est jolie !

LA PAIX. – Au secours, Hélène, aide-moi !

HÉLÈNE. – Mais comme elle est pâle.

LA PAIX. – Je suis pâle ? Comment, pâle ! Tu ne vois pas cet or dans mes cheveux ?

HÉLÈNE. – Tiens, de l'or gris ? C'est une nouveauté…

LA PAIX. – De l'or gris ! Mon or est gris ?

La paix disparaît.

HÉLÈNE. – Elle a disparu ?

CASSANDRE. – Je pense qu'elle se met un peu de rouge.

La paix reparaît, outrageusement fardée.

LA PAIX. – Et comme cela ?

HÉLÈNE. – Je la vois de moins en moins.

LA PAIX. – Et comme cela ?

CASSANDRE. – Hélène ne te voit pas davantage.

LA PAIX. – Tu me vois, toi, puisque tu me parles !

CASSANDRE. – C'est ma spécialité de parler à l'invisible.

LA PAIX. – Que se passe-t-il donc ? pourquoi les hommes dans la ville et sur la plage poussent-ils ces cris ?

CASSANDRE. – Il paraît que leurs dieux entrent dans le jeu et aussi leur honneur.

LA PAIX. – Leurs dieux ! Leur honneur !

CASSANDRE. – Oui… Tu es malade !

Le rideau tombe.

ACTE DEUXIÈME

Square clos de palais. À chaque angle, échappée sur la mer. Au centre un monument, les portes de la guerre. Elles sont grandes ouvertes.

SCÈNE PREMIÈRE

Hélène, le jeune Troïlus

HÉLÈNE. – Hé, là-bas ! Oui, c'est toi que j'appelle !… Approche !

TROÏLUS. – Non.

HÉLÈNE. – Comment t'appelles-tu ?

TROÏLUS. – Troïlus.

HÉLÈNE. – Viens ici !

TROÏLUS. – Non.

HÉLÈNE. – Viens ici, Troïlus !… *(Troïlus approche.)* Ah ! te voilà ! Tu obéis quand on t'appelle par ton nom : tu es encore très lévrier. C'est d'ailleurs gentil. Tu sais que tu m'obliges pour la première fois à crier, en parlant à un homme ? Ils sont toujours tellement collés à moi que je n'ai qu'à bouger les lèvres. J'ai crié à des mouettes, à des biches, à l'écho, jamais à un homme. Tu me paieras cela… Qu'as-tu ? Tu trembles ?

TROÏLUS. – Je ne tremble pas.

HÉLÈNE. – Tu trembles, Troïlus.

TROÏLUS. – Oui, je tremble.

HÉLÈNE. – Pourquoi es-tu toujours derrière moi ? Quand je vais dos au soleil et que je m'arrête, la tête de ton ombre butte toujours contre mes pieds. C'est tout juste si elle ne les dépasse pas. Dis-moi ce que tu veux…

TROÏLUS. – Je ne veux rien.

HÉLÈNE. – Dis-moi ce que tu veux, Troïlus !

TROÏLUS. – Tout ! Je veux tout !

HÉLÈNE. – Tu veux tout. La lune ?

TROÏLUS. – Tout ! Plus que tout !

HÉLÈNE. – Tu parles déjà comme un vrai homme : tu veux m'embrasser, quoi !

TROÏLUS. – Non !

HÉLÈNE. – Tu veux m'embrasser, n'est-ce pas, mon petit Troïlus ?

TROÏLUS. – Je me tuerais aussitôt après !

HÉLÈNE. – Approche… Quel âge as-tu ?

TROÏLUS. – Quinze ans… Hélas !

HÉLÈNE. – Bravo pour « hélas ! »… Tu as déjà embrassé des jeunes filles ?

TROÏLUS – Je les hais.

HÉLÈNE. – Tu en as déjà embrassé ?

TROÏLUS. – On les embrasse toutes. Je donnerais ma vie pour n'en avoir embrassé aucune.

HÉLÈNE. – Tu me sembles disposer d'un nombre considérable d'existences. Pourquoi ne m'as-tu pas dit franchement : « Hélène, je veux vous embrasser !… » Je ne vois aucun mal à ce que tu m'embrasses… Embrasse-moi.

TROÏLUS. – Jamais.

HÉLÈNE. – À la fin du jour, quand je m'assieds aux créneaux pour voir le couchant sur les îles, tu serais arrivé doucement, tu aurais tourné ma tête vers toi doucement avec tes mains – de dorée, elle serait devenue sombre, tu l'aurais moins bien vue évidemment – et tu m'aurais embrassée, j'aurais été très contente… « Tiens, me serais-je dit, le petit Troïlus m'embrasse !… » Embrasse-moi.

TROÏLUS. – Jamais.

HÉLÈNE. – Je vois. Tu me haïrais si tu m'avais embrassée ?

TROÏLUS. – Ah ! Les hommes ont bien de la chance d'arriver à dire ce qu'ils veulent bien dire !

HÉLÈNE. – Toi, tu le dis assez bien.

SCÈNE II

Hélène, Pâris, le jeune Troïlus

PÂRIS. – Méfie-toi Hélène. Troïlus est un dangereux personnage.

HÉLÈNE. – Au contraire. Il veut m'embrasser.

PÂRIS. – Troïlus, tu sais que si tu embrasses Hélène, je te tue !

HÉLÈNE. – Cela lui est égal de mourir, même plusieurs fois.

PÂRIS. – Qu'est-ce qu'il a ? Il prend son élan ?... Il va bondir sur toi ?... Il est trop gentil ! Embrasse Hélène, Troïlus. Je te le permets.

HÉLÈNE. – Si tu l'y décides, tu es plus malin que moi.

Troïlus qui allait se précipiter sur Hélène s'écarte aussitôt.

PÂRIS. – Écoute, Troïlus ! Voici nos vénérables qui arrivent en corps pour fermer les portes de la guerre... Embrasse Hélène devant eux : tu seras célèbre. Tu veux être célèbre, plus tard, dans la vie ?

TROÏLUS. – Non. Inconnu.

PÂRIS. – Tu ne veux pas devenir célèbre ? Tu ne veux pas être riche et puissant ?

TROÏLUS. – Non. Pauvre. Laid.

PÂRIS. – Laisse-moi finir !... Pour avoir toutes les femmes !

TROÏLUS. – Je n'en veux aucune, aucune !

PÂRIS. – Voilà nos sénateurs ! Tu as à choisir : ou tu embrasseras Hélène devant eux, ou c'est moi qui l'embrasse devant toi. Tu préfères que ce soit moi ? Très bien ! Regarde !... Oh ! Quel est ce baiser inédit que tu me donnes, Hélène ?

HÉLÈNE. – Le baiser destiné à Troïlus.

PÂRIS. – Tu ne sais pas ce que tu perds, mon enfant ! Oh ! Tu t'en vas ? Bonsoir !

HÉLÈNE. – Nous nous embrasserons, Troïlus. Je t'en réponds. *(Troïlus s'en va.)* Troïlus !

PÂRIS, un peu énervé. – Tu cries bien fort, Hélène !

SCÈNE III

Hélène, Demokos, Pâris

DEMOKOS. – Hélène, une minute ! Et regarde-moi bien en face. J'ai dans la main un magnifique oiseau que je vais lâcher… Là, tu y es ?… C'est cela… Arrange tes cheveux et souris un beau sourire.

PÂRIS. – Je ne vois pas en quoi l'oiseau s'envolera mieux si les cheveux d'Hélène bouffent et si elle fait son beau sourire.

HÉLÈNE. – Cela ne peut pas me nuire en tout cas.

DEMOKOS. – Ne bouge plus… Une ! Deux ! Trois ! Voilà… c'est fait, tu peux partir…

HÉLÈNE. – Et l'oiseau ?

DEMOKOS. – C'est un oiseau qui sait se rendre invisible.

HÉLÈNE. – La prochaine fois demande-lui sa recette.

Elle sort.

PÂRIS. – Quelle est cette farce ?

DEMOKOS. – Je compose un chant sur le visage d'Hélène. J'avais besoin de bien le contempler, de le graver dans ma mémoire avec sourire et boucles. Il y est.

Demokos, Pâris, Hécube, la petite Polyxène,
Abnéos, le Géomètre, quelques vieillards.

HÉCUBE. – Enfin, vous allez nous la fermer, cette porte ?

DEMOKOS. – Certainement non. Nous pouvons avoir à la rouvrir ce soir même.

HÉCUBE. – Hector le veut. Il décidera Priam.

DEMOKOS. – C'est ce que nous verrons. Je lui réserve d'ailleurs une surprise, à Hector !

LA PETITE POLYXÈNE. – Où mène-t-elle, la porte, ma-man ?

ABNÉOS. – À la guerre, mon enfant. Quand elle est ouverte, c'est qu'il y a la guerre.

DEMOKOS. – Mes amis…

HÉCUBE. – Guerre ou non, votre symbole est stupide. Cela fait tellement peu soigné, ces deux battants toujours ouverts ! Tous les chiens s'y arrêtent.

LE GÉOMÈTRE. – Il ne s'agit pas de ménage. Il s'agit de la guerre et des dieux.

HÉCUBE. – C'est bien ce que je dis, les dieux ne savent pas fermer leurs portes.

LA PETITE POLYXÈNE. – Moi je les ferme très bien, n'est-ce pas, ma-man !

PÂRIS, *baisant les doigts de la petite Polyxène.* – Tu te prends même les doigts en les fermant, chérie.

DEMOKOS. – Puis-je enfin réclamer un peu de silence, Pâ-ris ?… Abnéos, et toi, Géomètre, et vous, mes amis, si je vous ai convoqués ici avant l'heure, c'est pour tenir notre premier conseil. Et c'est de bon augure que ce premier conseil de guerre ne soit pas celui des généraux, mais celui des intellectuels. Car il ne suffit pas, à la guerre, de fourbir des armes à nos soldats. Il est indispensable de porter au comble leur enthousiasme. L'ivresse physique, que leurs chefs obtiendront à l'instant de l'assaut par un vin à la résine vigoureusement placé, restera vis-à-vis des Grecs inefficiente, si elle ne se double de l'ivresse morale que nous, les poètes, allons leur verser. Puisque l'âge nous éloigne du combat, servons du moins à le rendre sans merci. Je vois que tu as des idées là-dessus, Abnéos, et je te donne la parole.

ABNÉOS. – Oui. Il nous faut un chant de guerre.

DEMOKOS. – Très juste. La guerre exige un chant de guerre.

PÂRIS. – Nous nous en sommes passés jusqu'ici.

HÉCUBE. – Elle chante assez fort elle-même…

ABNÉOS. – Nous nous en sommes passés, parce que nous n'avons jamais combattu que des barbares. C'était de la chasse. Le cor suffisait. Avec les Grecs, nous entrons dans un domaine de guerre autrement relevé.
DEMOKOS. – Très exact, Abnéos. Ils ne se battent pas avec tout le monde.

PÂRIS. – Nous avons déjà un chant national.

ABNÉOS. – Oui. Mais c'est un chant de paix.

PÂRIS. – Il suffit de chanter un chant de paix avec grimace et gesticulation pour qu'il devienne un chant de guerre… Quelles sont les paroles du nôtre ?

ABNÉOS. – Tu le sais bien. Anodines. – C'est nous qui fau-chons les moissons, qui pressons le sang de la vigne !

DEMOKOS. – C'est tout au plus un chant de guerre contre les céréales. Vous n'effraierez pas les Spartiates en menaçant le blé noir.

PÂRIS. – Chante-le avec un javelot à la main et un mort à tes pieds, et tu verras.

HÉCUBE. – Il y a le mot sang, c'est toujours cela.

PÂRIS. – Le mot moisson aussi. La guerre l'aime assez.

ABNÉOS. – Pourquoi discuter, puisque Demokos peut nous en livrer un tout neuf dans les deux heures ?

DEMOKOS. – Deux heures, c'est un peu court.

HÉCUBE. – N'aie aucune crainte, c'est plus qu'il ne te faut ! Et après le chant ce sera l'hymne, et après l'hymne la cantate. Dès que la guerre est déclarée, impossible de tenir les poètes. La rime, c'est encore le meilleur tambour.

DEMOKOS. – Et le plus utile, Hécube, tu ne crois pas si bien dire. Je la connais la guerre. Tant qu'elle n'est pas là, tant que les portes sont fermées, libre à chacun de l'insulter et de la honnir. Elle dédaigne les affronts du temps de paix. Mais, dès qu'elle est présente, son orgueil est à vif, on ne gagne pas sa faveur, on ne la gagne que si on la complimente et la caresse. C'est alors la mission de ceux qui savent parler et écrire, de louer la guerre, de l'aduler à chaque heure du jour, de la flatter sans arrêt aux places claires ou équivoques de son énorme corps, sinon on se l'aliène. Voyez les officiers : braves devant l'ennemi, lâches devant la guerre, c'est la devise des vrais généraux.

PÂRIS. – Et tu as même déjà une idée pour ton chant ?

DEMOKOS. – Une idée merveilleuse, que tu comprendras mieux que personne… Elle doit être lasse qu'on l'affuble de cheveux de Méduse, de lèvres de Gorgone : j'ai l'idée de comparer son visage au visage d'Hélène. Elle sera ravie de cette ressemblance.

LA PETITE POLYXÈNE. – À quoi ressemble-t-elle, la guerre, maman ?

HÉCUBE. – À ta tante Hélène.

LA PETITE POLYXÈNE. – Elle est bien jolie.

DEMOKOS. – Donc, la discussion est close. Entendu pour le chant de guerre. Pourquoi t'agiter, Géomètre ?

LE GÉOMÈTRE. – Parce qu'il y a plus pressé que le chant de guerre, beaucoup plus pressé !

DEMOKOS. – Tu veux dire les médailles, les fausses nou-velles ?

LE GÉOMÈTRE. – Je veux dire les épithètes.

HÉCUBE. – Les épithètes ?

LE GÉOMÈTRE. – Avant de se lancer leurs javelots, les guerriers grecs se lancent des épithètes… Cousin de crapaud ! se crient-ils, Fils de bœuf !… Ils s'insultent, quoi ! Et ils ont raison. Ils savent que le corps est plus vulné-rable quand l'amour-propre est à vif. Des guerriers connus pour leur sang-froid le perdent illico quand on les traite de verrues ou de corps thyroïdes. Nous autres Troyens manquons terriblement d'épithètes.

DEMOKOS. – Le Géomètre a raison. Nous sommes vrai-ment les seuls à ne pas insulter nos adversaires avant de les tuer.

PÂRIS. – Tu ne crois pas suffisant que les civils s'insultent, Géomètre ?

LE GÉOMÈTRE. – Les armées doivent partager les haines des civils. Tu les connais : sur ce point, elles sont décevantes. Quand on les laisse à elles-mêmes, elles passent leur temps à s'estimer. Leurs lignes déployées deviennent bientôt les seules lignes de vraie fraternité dans le monde, et du fond du champ de bataille, où règne une considération mutuelle, la haine est refoulée sur les écoles, les salons et le petit commerce. Si nos soldats ne sont pas au moins à égalité dans le combat d'épithètes, ils perdront tout goût à l'insulte, à la calomnie, et par suite immanquablement à la guerre.

DEMOKOS. – Adopté ! Nous leur organiserons un concours dès ce soir.

PÂRIS. – Je les crois assez grands pour les trouver eux-mêmes.

DEMOKOS. – Quelle erreur ! Tu les trouverais de toi-même, tes épithètes, toi qui passes pour habile ?

PÂRIS. – J'en suis persuadé.

DEMOKOS. – Tu te fais des illusions. Mets-toi en face d'Abnéos, et commence.

PÂRIS. – Pourquoi d'Abnéos ?

DEMOKOS. – Parce qu'il prête aux épithètes, ventru et bancal comme il est.

ABNÉOS. – Dis donc, moule à tarte !

PÂRIS. – Non. Abnéos ne m'inspire pas. Mais en face de toi, si tu veux.

DEMOKOS. – De moi ? Parfait ! Tu vas voir ce que c'est, l'épithète impro-visée ! Compte dix pas… J'y suis… Commence…

HÉCUBE. – Regarde le bien. Tu seras inspiré.

PÂRIS. – Vieux parasite ! Poète aux pieds sales !

DEMOKOS. – Une seconde… Si tu faisais précéder les épi-thètes du nom, pour éviter les méprises…

PÂRIS. – En effet, tu as raison… Demokos ! Œil de veau ! Arbre à pelli-cules !

DEMOKOS. – C'est grammaticalement correct, mais bien naïf. En quoi le fait d'être appelé arbre à pellicules peut-il me faire monter l'écume aux lèvres et me pousser à tuer ! Arbre à pellicules est complètement inopérant.

HÉCUBE. – Il t'appelle aussi Œil de veau.

DEMOKOS. – Œil de veau est un peu mieux… Mais tu vois comme tu patauges, Pâris ? Cherche donc ce qui peut m'atteindre. Quels sont mes défauts, à ton avis ?

PÂRIS. – Tu es lâche, ton haleine est fétide, et tu n'as aucun talent.

DEMOKOS. – Tu veux une gifle ?

PÂRIS. – Ce que j'en dis, c'est pour te faire plaisir.

LA PETITE POLYXÈNE. – Pourquoi gronde-t-on l'oncle Demokos, maman ?

HÉCUBE. – Parce que c'est un serin, chérie !

DEMOKOS. – Vous dites, Hécube ?

HÉCUBE. – Je dis que tu es un serin, Demokos. Je dis que si les serins avaient la bêtise, la prétention, la laideur et la puanteur des vautours, tu serais un serin.

DEMOKOS. – Tiens, Pâris ! Ta mère est plus forte que toi. Prends modèle. Une heure d'exercice par jour et par soldat, et Hécube nous donne la supériorité en épithètes. Et pour le chant de la guerre, je ne sais pas non plus s'il n'y aurait pas avantage à le lui confier…

HÉCUBE. – Si tu veux. Mais je ne dirais pas qu'elle res-semble à Hélène.

DEMOKOS. – Elle ressemble à quoi, d'après toi ?

HÉCUBE. – Je te le dirai quand la porte sera fermée.

Les mêmes, Priam, Hector, puis Andromaque, puis Hélène.

Pendant la fermeture des portes, Andromaque prend à part la petite Po-
lyxène, et lui confie une commission ou un secret.

HECTOR. – Elle va l'être.

DEMOKOS. – Un moment, Hector !

HECTOR. – La cérémonie n'est pas prête ?

HÉCUBE. – Si. Les gonds nagent dans l'huile d'olive.

HECTOR. – Alors ?

PRIAM. – Ce que nos amis veulent dire, Hector, c'est que la guerre aussi
est prête. Réfléchis bien. Ils n'ont pas tort. Si tu fermes cette porte, il va
peut-être falloir la rouvrir dans une minute.

HÉCUBE. – Une minute de paix, c'est bon à prendre.

HECTOR. – Mon père, tu dois pourtant savoir ce que signi-fie la paix pour
des hommes qui depuis des mois se battent. C'est toucher enfin le fond pour
ceux qui se noient ou s'enlisent. Laisse-nous prendre pied sur le moindre
carré de paix, effleurer la paix une minute, fût-ce de l'orteil !

PRIAM. – Hector, songe que jeter aujourd'hui la paix dans la ville est aussi
coupable que d'y jeter un poison. Tu vas y détendre le cuir et le fer. Tu vas
frapper avec le mot paix la monnaie courante des souvenirs, des affections,
des espoirs. Les soldats vont se précipiter pour acheter le pain de paix,
boire le vin de paix, étreindre la femme de paix, et dans une heure tu les
remettras face à la guerre.

HECTOR. – La guerre n'aura pas lieu !

On entend des clameurs du côté du port.

DEMOKOS. – Non ? Écoute !

HECTOR. – Fermons les portes. C'est ici que nous rece-vrons tout à l'heure les Grecs. La conversation sera déjà assez rude. Il convient de les recevoir dans la paix.

PRIAM. – Mon fils, savons-nous même si nous devons permettre aux Grecs de débarquer ?

HECTOR. – Ils débarqueront. L'entrevue avec Ulysse est notre dernière chance de paix.

DEMOKOS. – Ils ne débarqueront pas. Notre honneur est en jeu. Nous serions la risée du monde…

HECTOR. – Et tu prends sur toi de conseiller au Sénat une mesure qui signifie la guerre ?

DEMOKOS. – Sur moi ? Tu tombes mal. Avance, Busiris. Ta mission com-mence.

HECTOR. – Quel est cet étranger ?

DEMOKOS. – Cet étranger est le plus grand expert vivant du droit des peuples. Notre chance veut qu'il soit aujourd'hui de passage dans Troie. Tu ne diras pas que c'est un témoin partial. C'est un neutre. Notre Sénat se range à son avis, qui sera demain celui de toutes les nations.

HECTOR. – Et quel est ton avis ?

BUSIRIS. – Mon avis, princes, après constat de visu et en-quête subsé-quente, est que les Grecs se sont rendus vis-à-vis de Troie coupables de trois manquements aux règles internationales. Leur permettre de débarquer serait vous retirer cette qualité d'offensés qui vous vaudra, dans le conflit, la sympathie universelle.

HECTOR. – Explique-toi.

BUSIRIS. – Premièrement ils ont hissé leur pavillon au ramat et non à l'écoutière. Un navire de guerre, princes et chers collègues, hisse sa flamme au ramat dans le seul cas de réponse au salut d'un bateau chargé de bœufs. Devant une ville et sa population, c'est donc le type même de l'insulte.

Nous avons d'ailleurs un précédent. Les Grecs ont hissé l'année dernière leur pavillon au ramat en entrant dans le port d'Ophéa. La riposte a été cinglante. Ophéa a déclaré la guerre.

HECTOR. – Et qu'est-il arrivé ?

BUSIRIS. – Ophéa a été vaincue. Il n'y a plus d'Ophéa, ni d'Ophéens.

HÉCUBE. – Parfait.

BUSIRIS. – L'anéantissement d'une nation ne modifie en rien l'avantage de sa position morale internationale.

HECTOR. – Continue.

BUSIRIS. – Deuxièmement, la flotte grecque en pénétrant dans vos eaux territoriales a adopté la formation dite de face. Il avait été question, au dernier congrès, d'inscrire cette formation dans le paragraphe des mesures dites défensives-offensives. J'ai été assez heureux pour obtenir qu'on lui restituât sa vraie qualité de mesure offensive-défensive : elle est donc bel et bien une des formes larvées du front de mer qui est lui-même une forme larvée du blocus, c'est-à-dire qu'elle constitue un manquement au premier degré ! Nous avons aussi un précédent. Les navires grecs, il y a cinq ans, ont adopté la formation de face en ancrant devant Magnésie. Magnésie a dans l'heure déclaré la guerre.

HECTOR. – Et elle l'a gagnée ?

BUSIRIS. – Elle l'a perdue. Il ne subsiste plus une pierre de ses murs. Mais mon paragraphe subsiste.

HÉCUBE. – Je t'en félicite. Nous avions eu peur.

HECTOR. – Achève.

BUSIRIS Le troisième manquement est moins grave. Une des trirèmes grecques a accosté sans permission et par traîtrise. Son chef Oiax, le plus brutal et le plus mauvais coucheur des Grecs, monte vers la ville en semant le scandale et la provocation, et criant qu'il veut tuer Pâris. Mais, au point de vue international, ce manquement est négligeable. C'est un manquement qui n'a pas été fait dans les formes.

DEMOKOS. – Te voilà renseigné. La situation a deux issues. Encaisser un outrage ou le rendre. Choisis.

HECTOR. – Oneah, cours au-devant d'Oiax ! Arrange-toi pour le rabattre ici.

PÂRIS. – Je l'y attends.

HECTOR. – Tu me feras le plaisir de rester au palais jusqu'à ce que je t'appelle. Quant à toi, Busiris, apprends que notre ville n'entend d'aucune façon avoir été insultée par les Grecs.

BUSIRIS. – Je n'en suis pas surpris. Sa fierté d'hermine est légendaire.

HECTOR. – Tu vas donc, et sur-le-champ, me trouver une thèse qui permette à notre Sénat de dire qu'il n'y a pas eu manquement de la part de nos visiteurs, et à nous, hermines immaculées, de les recevoir en hôtes.

DEMOKOS. – Quelle est cette plaisanterie ?

BUSIRIS. – C'est contre les faits, Hector.

HECTOR. Mon cher Busiris, nous savons tous ici que le droit est la plus puissante des écoles de l'imagination. Jamais poète n'a interprété la nature aussi librement qu'un juriste la réalité.

BUSIRIS. – Le Sénat m'a demandé une consultation, je la donne.

HECTOR. – Je te demande, moi, une interprétation. C'est plus juridique encore.

BUSIRIS. – C'est contre ma conscience.

HECTOR. – Ta conscience a vu périr Ophéa, périr Magné-sie, et elle envisage d'un cœur léger la perte de Troie ?

HÉCUBE. – Oui. Il est de Syracuse.

HECTOR. – Je t'en supplie, Busiris. Il y va de la vie de deux peuples. Aide-nous.

BUSIRIS. – Je ne peux vous donner qu'une aide, la vérité.

HECTOR. – Justement. Trouve une vérité qui nous sauve. Si le droit n'est pas l'armurier des innocents, à quoi sert-il ? Forge-nous une vérité. D'ailleurs, c'est très simple, si tu ne la trouves pas, nous te gardons ici tant que durera la guerre.

BUSIRIS. – Que dites-vous ?

DEMOKOS. – Tu abuses de ton rang, Hector !

HÉCUBE. – On emprisonne le droit pendant la guerre. On peut bien emprisonner un juriste.

HECTOR. – Tiens-le-toi pour dit, Busiris. Je n'ai jamais manqué ni à mes menaces ni à mes promesses. Ou ces gardes te mènent en prison pour des années, ou tu pars ce soir même couvert d'or. Ainsi renseigné, soumets de nouveau la question à ton examen le plus impartial.

BUSIRIS. – Évidemment, il y a des recours.

HECTOR. – J'en étais sûr.

BUSIRIS. – Pour le premier manquement, par exemple, ne peut-on interpréter dans certaines mers bordées de régions fertiles le salut au bateau chargé de bœufs comme un hommage de la marine à l'agriculture ?

HECTOR. – En effet, c'est logique. Ce serait en somme le salut de la mer à la terre.

BUSIRIS. – Sans compter qu'une cargaison de bétail peut être une cargaison de taureaux. L'hommage en ce cas touche même à la flatterie.

HECTOR. – Voilà. Tu m'as compris. Nous y sommes.

BUSIRIS. – Quant à la formation de face, il est tout aussi naturel de l'interpréter comme une avance que comme une provocation. Les femmes qui veulent avoir des enfants se présentent de face, et non de flanc.

HECTOR. – Argument décisif.

BUSIRIS. – D'autant que les Grecs ont à leur proue des nymphes sculptées gigantesques. Il est permis de dire que le fait de présenter aux Troyens, non plus le navire en tant qu'unité navale, mais la nymphe en tant que symbole fécondant, est juste le contraire d'une insulte. Une femme qui vient vers vous nue et les bras ouverts n'est pas une menace, mais une offre. Une offre à causer, en tout cas…

HECTOR. – Et voilà notre honneur sauf, Demokos. Que l'on publie dans la ville la consultation de Busiris, et toi, Minos, cours donner l'ordre au capitaine du port de faire immédiatement débarquer Ulysse.

DEMOKOS. – Cela devient impossible de discuter l'honneur avec ces anciens combattants. Ils abusent vraiment du fait qu'on ne peut les traiter de lâches.

LE GÉOMÈTRE. – Prononce en tout cas le discours aux morts, Hector. Cela te fera réfléchir…

HECTOR. – Il n'y aura pas de discours aux morts.

PRIAM. – La cérémonie le comporte. Le général victorieux doit rendre hommage aux morts quand les portes se ferment.

HECTOR. – Un discours aux morts de la guerre, c'est un plaidoyer hypocrite pour les vivants, une demande d'acquittement. C'est la spécialité des avocats. Je ne suis pas assez sûr de mon innocence…

DEMOKOS. – Le commandement est irresponsable.

HECTOR. – Hélas, tout le monde l'est, les dieux aussi ! D'ailleurs, je l'ai fait déjà, mon discours aux morts. Je le leur ai fait à leur dernière minute de vie, alors qu'adossés un peu de biais aux oliviers du champ de bataille, ils disposaient d'un reste d'ouïe et de regard. Et je peux vous répéter ce que je leur ai dit. Et à l'éventré, dont les prunelles tournaient déjà, j'ai dit : « Eh bien, mon vieux, ça ne va pas si mal que ça… » Et à celui dont la massue avait ouvert en deux le crâne : « Ce que tu peux être laid avec ce nez fendu ! » Et à mon petit écuyer, dont le bras gauche pendait et dont fuyait le dernier sang : « Tu as de la chance de t'en tirer avec le bras gauche… » Et je suis heureux de leur avoir fait boire à chacun une suprême goutte à la gourde de la vie. C'était tout ce qu'ils réclamaient, ils sont morts en la suçant… Et je n'ajouterai pas un mot. Fermez les portes.

LA PETITE POLYXÈNE. – Il est mort aussi, le petit écuyer ?

HECTOR. – Oui, mon chat. Il est mort. Il a soulevé la main droite. Quelqu'un que je ne voyais pas le prenait par sa main valide. Et il est mort.

DEMOKOS. – Notre général semble confondre paroles aux mourants et discours aux morts.

PRIAM. – Ne t'obstine pas, Hector.

HECTOR. – Très bien, très bien, je leur parle…

Il se place au pied des portes.

HECTOR. – Ô vous qui ne nous entendez pas, qui ne nous voyez pas, écoutez ces paroles, voyez ce cortège. Nous sommes les vainqueurs. Cela vous est bien égal, n'est-ce pas ? Vous aussi vous l'êtes. Mais, nous, nous sommes les vainqueurs vivants. C'est ici que commence la différence. C'est ici que j'ai honte. Je ne sais si dans la foule des morts on distingue les morts vainqueurs par une cocarde. Les vivants, vainqueurs ou non, ont la vraie cocarde, la double cocarde. Ce sont leurs yeux. Nous, nous avons deux yeux, mes pauvres amis. Nous voyons le soleil. Nous faisons tout ce que se fait dans le soleil. Nous mangeons. Nous buvons… Et dans le clair de lune !… Nous couchons avec nos femmes… Avec les vôtres aussi…

DEMOKOS. – Tu insultes les morts, maintenant ?

HECTOR. – Vraiment, tu crois ?

DEMOKOS. – Ou les morts, ou les vivants.

HECTOR. – Il y a une distinction…

PRIAM. – Achève, Hector… Les Grecs débarquent…

HECTOR. – J'achève… Ô vous qui ne sentez pas, qui ne touchez pas, respirez cet encens, touchez ces offrandes. Puis-qu'enfin c'est un général sincère qui vous parle, apprenez que je n'ai pas une tendresse égale, un respect égal pour vous tous. Tout morts que vous êtes, il y a chez vous la même proportion de braves et de peureux que chez nous qui avons survécu et vous ne me ferez pas confondre, à la faveur d'une cérémonie, les morts que j'admire avec les morts que je n'admire pas. Mais ce que j'ai à vous dire aujourd'hui, c'est que la guerre me semble la recette la plus sordide et la plus hypocrite pour égaliser les humains et que je n'admets pas plus la mort comme châtiment ou comme expiation au lâche que comme récompense aux vivants. Aussi qui que vous soyez, vous absents, vous inexistants, vous oubliés, vous sans occupation, sans repos, sans être, je comprends en effet qu'il faille en fermant ces portes excuser près de vous ces déserteurs que sont les survivants, et ressentir comme un privilège et un vol ces deux biens qui s'appellent, de deux noms dont j'espère que la résonance ne vous atteint jamais, la chaleur et le ciel.

LA PETITE POLYXÈNE. – Les portes se ferment, maman !

HÉCUBE. – Oui, chérie.

LA PETITE POLYXÈNE. – Ce sont les morts qui les pous-sent.

HÉCUBE. – Ils aident, un petit peu.

LA PETITE POLYXÈNE. – Ils aident bien, surtout à droite.

HECTOR. – C'est fait ? Elles sont fermées ?

LE GARDE. – Un coffre-fort…

HECTOR. – Nous sommes en paix, père, nous sommes en paix.

HÉCUBE. – Nous sommes en paix !

LA PETITE POLYXÈNE. – On se sent bien mieux, n'est-ce pas, maman ?

HECTOR. – Vraiment, chérie !

LA PETITE POLYXÈNE. – Moi je me sens bien mieux.

La musique des Grecs éclate.

UN MESSAGER. – Leurs équipages ont mis pied à terre, Priam !

DEMOKOS. – Quelle musique ! Quelle horreur de musique ! C'est de la musique antitroyenne au plus haut point ! Allons les recevoir comme il convient.

HECTOR. – Recevez-les royalement et qu'ils soient ici sans encombre. Vous êtes responsables !

LE GÉOMÈTRE. – Opposons-leur en tout cas la musique troyenne. Hector, à défaut d'autre indignation, autorisera peut-être le conflit musical ?

LA FOULE. – Les Grecs ! Les Grecs !

UN MESSAGER. – Ulysse est sur l'estacade, Priam ! Où faut-il le conduire ?

PRIAM. – Ici même. Préviens-nous au palais… Toi aussi, viens, Pâris. Tu n'as pas trop à circuler, en ce moment.

HECTOR. – Allons préparer notre discours aux Grecs, père.

DEMOKOS. – Prépare-le un peu mieux que celui aux morts, tu trouveras plus de contradiction. *(Priam et ses fils sortent.)* Tu t'en vas aussi, Hécube ? Tu t'en vas sans nous avoir dit à quoi ressemblait la guerre ?

HÉCUBE. – Tu tiens à le savoir ?

DEMOKOS. – Si tu l'as vue, dis-le.

HÉCUBE. – À un cul de singe. Quand la guenon est montée à l'arbre et nous montre un fondement rouge, tout squameux et glacé, ceint d'une perruque immonde, c'est exactement la guerre que l'on voit, c'est son visage.

DEMOKOS. – Avec celui d'Hélène, cela lui en fait deux.

Il sort.

ANDROMAQUE. – La voilà justement, Hélène. Polyxène, tu te rappelles bien ce que tu as à lui dire ?

LA PETITE POLYXÈNE. – Oui…

ANDROMAQUE. – Va…

Hélène, la petite Polyxène.

HÉLÈNE. – Tu veux me parler, chérie ?

LA PETITE POLYXÈNE. – Oui, tante Hélène.

HÉLÈNE. – Ça doit être important, tu es toute raide. Et tu te sens toute raide aussi, je parie ?

LA PETITE POLYXÈNE. – Oui, tante Hélène.

HÉLÈNE. – C'est une chose que tu ne peux pas me dire sans être raide ?

LA PETITE POLYXÈNE. – Non, tante Hélène.

HÉLÈNE. – Alors, dis le reste. Tu me fais mal, raide comme cela.

LA PETITE POLYXÈNE. – Tante Hélène, si vous nous aimez, partez !

HÉLÈNE. – Pourquoi partirais-je, chérie ?

LA PETITE POLYXÈNE. – À cause de la guerre.

HÉLÈNE. – Tu sais déjà ce que c'est, la guerre ?

LA PETITE POLYXÈNE. – Je ne sais pas très bien. Je crois qu'on meurt.

HÉLÈNE. – La mort aussi tu sais ce que c'est ?

LA PETITE POLYXÈNE. – Je ne sais pas non plus très bien. Je crois qu'on ne sent plus rien.

HÉLÈNE. – Qu'est-ce qu'Andromaque t'a dit au juste de me demander ?

LA PETITE POLYXÈNE. – De partir, si vous nous aimez.

HÉLÈNE. – Cela ne me paraît pas très logique. Si tu aimais quelqu'un, tu le quitterais ?

LA PETITE POLYXÈNE. – Oh ! non ! jamais !

HÉLÈNE. – Qu'est-ce que tu préférerais, quitter Hécube ou ne plus rien sentir ?

LA PETITE POLYXÈNE. – Oh ! ne rien sentir ! Je préfére-rais rester et ne plus jamais rien sentir…

HÉLÈNE. – Tu vois comme tu t'exprimes mal ! Pour que je parte, au contraire, il faudrait que je ne vous aime pas. Tu préfères que je ne t'aime pas ?

LA PETITE POLYXÈNE. – Oh ! non ! que vous m'aimiez !

HÉLÈNE. – Tu ne sais pas ce que tu dis, en somme ?

LA PETITE POLYXÈNE. – Non…

VOIX D'HÉCUBE. – Polyxène !

SCÈNE VII

Les mêmes, Hécube, Andromaque.

HÉCUBE. – Tu es sourde, Polyxène ? Et qu'as-tu à fermer les yeux en me voyant ? Tu joues à la statue ? Viens avec moi.

HÉLÈNE. – Elle s'entraîne à ne rien sentir. Mais elle n'est pas douée.

HÉCUBE. – Enfin, est-ce que tu m'entends, Polyxène ? Est-ce que tu me vois ?

LA PETITE POLYXÈNE. – Oh ! oui ! Je t'entends. Je te vois.

HÉCUBE. – Pourquoi pleures-tu ? Il n'y a pas de mal à me voir et à m'entendre.

LA PETITE POLYXÈNE. – Si… Tu partiras…

HÉCUBE. – Vous me ferez le plaisir de laisser désormais Polyxène tranquille, Hélène. Elle est trop sensible pour toucher l'insensible, fût-ce à travers votre belle robe et votre belle voix.

HÉLÈNE. – C'est bien mon avis. Je conseille à Andromaque de faire ses commissions elle-même. Embrasse-moi, Polyxène. Je pars ce soir, puisque tu y tiens.

LA PETITE POLYXÈNE. – Ne partez pas ! Ne partez pas !

HÉLÈNE. – Bravo ! Te voilà souple…

HÉCUBE. – Tu viens, Andromaque ?

ANDROMAQUE. – Non, je reste.

SCÈNE VIII

Hélène, Andromaque.

HÉLÈNE. – L'explication, alors ?

ANDROMAQUE. – je crois qu'il la faut.

HÉLÈNE. – Écoutez-les crier et discuter là-bas, tous tant qu'ils sont ! Cela ne suffit pas ? Il faut encore que les belles-sœurs s'expliquent ? S'expliquent quoi, puisque je pars ?

ANDROMAQUE. – Que vous partiez ou non, ce n'est plus la question, Hélène.

HÉLÈNE. – Dites cela à Hector. Vous faciliterez sa journée.

ANDROMAQUE. – Oui, Hector s'accroche à l'idée de votre départ. Il est comme tous les hommes. Il suffit d'un lièvre pour le détourner du fourré où est la panthère. Le gibier des hommes peut se chasser ainsi. Pas celui des dieux.

HÉLÈNE. – Si vous avez découvert ce qu'ils veulent, les dieux, dans toute cette histoire, je vous félicite.

ANDROMAQUE. – Je ne sais pas si les dieux veulent quelque chose. Mais l'univers veut quelque chose. Depuis ce matin, tout me semble le réclamer, le crier, l'exiger, les hommes, les bêtes, les plantes… Jusqu'à cet enfant en moi…

HÉLÈNE. – Ils réclament quoi ?

ANDROMAQUE. – Que vous aimiez Pâris.

HÉLÈNE. – S'ils savent que je n'aime point Pâris, ils sont mieux renseignés que moi.

ANDROMAQUE. – Vous ne l'aimez pas ! Peut-être pour-riez-vous l'aimer. Mais pour le moment, c'est dans un malen-tendu que vous vivez tous deux.

HÉLÈNE. – Je vis avec lui dans la bonne humeur, dans l'agrément, dans l'accord. Le malentendu de l'entente, je ne vois pas très bien ce que cela peut être.

ANDROMAQUE. – Vous ne l'aimez pas. On ne s'entend pas, dans l'amour. La vie de deux époux qui s'aiment, c'est une perte de sang-froid perpétuel. La dot des vrais couples est la même que celle des couples faux : le désaccord originel. Hector est le contraire de moi. Il n'a aucun de mes goûts. Nous passons notre journée ou à nous vaincre l'un l'autre ou à nous sacrifier. Les époux amoureux n'ont pas le visage clair.

HÉLÈNE. – Et si mon teint était de plomb, quand j'approche Pâris, et mes yeux blancs, et mes mains moites, vous pensez que Ménélas en serait transporté, les Grecs épanouis ?

ANDROMAQUE. – Peu importerait alors ce que pensent les Grecs !

HÉLÈNE. – Et la guerre n'aurait pas lieu ?

ANDROMAQUE. – Peut-être, en effet, n'aurait-elle pas lieu ! Peut-être, si vous vous aimiez, l'amour appellerait-il à son secours l'un de ses égaux, la générosité, l'intelligence… Personne, même le destin, ne s'attaque d'un cœur léger à la passion… Et même si elle avait lieu, tant pis !

HÉLÈNE. – Ce ne serait sans doute pas la même guerre ?

ANDROMAQUE. – Oh ! non, Hélène ! Vous sentez bien ce qu'elle sera, cette lutte. Le sort ne prend pas tant de précautions pour un combat vulgaire. Il veut construire l'avenir sur elle, l'avenir de nos races, de nos peuples, de nos raisonnements. Et que nos idées et que notre avenir soient fondés sur l'histoire d'une femme et d'un homme qui s'aimaient, ce n'est pas si mal. Mais il ne voit pas que vous n'êtes qu'un couple officiel… Penser que nous allons souffrir, mourir, pour un couple officiel, que la splendeur ou le malheur des âges, que les habitudes des cerveaux et des siècles vont se fonder sur l'aventure de deux êtres qui ne s'aimaient pas, c'est là l'horreur.

HÉLÈNE. – Si tous croient que nous nous aimons, cela re-vient au même.

ANDROMAQUE. – Ils ne le croient pas. Mais aucun n'avouera qu'il ne le croit pas. Aux approches de la guerre, tous les êtres sécrètent une nouvelle sueur, tous les événements revêtent un nouveau vernis, qui est le mensonge. Tous mentent. Nos vieillards n'adorent pas la beauté, ils s'adorent eux-mêmes, ils adorent la laideur. Et l'indignation des Grecs est un mensonge. Dieu sait s'ils se moquent de ce que vous pouvez faire avec Pâris, les Grecs ! Et leurs bateaux qui accostent là-bas dans les banderoles et les hymnes, c'est un mensonge de la mer. Et la vie de mon fils, et la vie d'Hector vont se jouer sur l'hypocrisie et le simulacre, c'est épouvantable !

HÉLÈNE. – Alors ?

ANDROMAQUE. – Alors je vous en supplie, Hélène. Vous me voyez là pressée contre vous comme si je vous suppliais de m'aimer. Aimez Pâris ! Ou dites-moi que je me trompe ! Dites-moi que vous vous tuerez s'il mourait. Que vous accepterez qu'on vous défigure pour qu'il vive !... Alors la guerre ne sera plus qu'un fléau, pas une injustice. J'essaierai de la supporter.

HÉLÈNE. – Chère Andromaque, tout cela n'est pas si simple. Je ne passe point mes nuits, je l'avoue, à réfléchir sur le sort des humains, mais il m'a toujours semblé qu'ils se parta-geaient en deux sortes. Ceux qui sont, si vous voulez, la chair de la vie humaine. Et ceux qui en sont l'ordonnance, l'allure. Les premiers ont le rire, les pleurs, et tout ce que vous voudrez en sécrétions. Les autres ont le geste, la tenue, le regard. Si vous les obligez à ne faire qu'une race, cela ne va plus aller du tout. L'humanité doit autant à ses vedettes qu'à ses martyrs.

ANDROMAQUE. – Hélène !

HÉLÈNE. – D'ailleurs vous êtes difficile... Je ne le trouve pas si mal que cela, mon amour. Il me plaît, à moi. Évidemment cela ne tire pas sur mon foie ou ma rate quand Pâris m'abandonne pour le jeu de boules ou la pêche au congre. Mais je suis commandée par lui, aimantée par lui. L'aimanta-tion, c'est aussi un amour, autant que la promiscuité. C'est une passion autrement ancienne et féconde que celle qui s'exprime par les yeux rougis de pleurs ou se manifeste par le frottement. Je suis aussi à l'aise dans cet amour qu'une étoile dans sa constellation. J'y gravite, j'y scintille, c'est ma façon à moi de respirer et d'étreindre. On voit très bien les fils qu'il peut produire, cet amour, de grands êtres clairs, bien distincts, avec des doigts annelés et un nez court. Qu'est-ce qu'il va devenir, si j'y verse la jalousie, la tendresse et l'inquiétude ! Le monde est déjà si nerveux : voyez vous-même !

ANDROMAQUE. – Versez-y la pitié, Hélène. C'est la seule aide dont ait besoin le monde.

HÉLÈNE. – Voilà, cela devait venir, le mot est dit.

ANDROMAQUE. – Quel mot ?

HÉLÈNE. – Le mot pitié. Adressez-vous ailleurs. Je ne suis pas très forte en pitié.

ANDROMAQUE. – Parce que vous ne connaissez pas le malheur !

HÉLÈNE. – Je le connais très bien. Et les malheureux aussi. Et nous sommes très à l'aise ensemble. Tout enfant, je passais mes journées dans les huttes collées au palais, avec les filles de pêcheurs, à dénicher et à élever des oiseaux. Je suis née d'un oiseau, de là, j'imagine, cette passion. Et tous les malheurs du corps humain, pourvu qu'ils aient un rapport avec les oiseaux, je les connais en détail : le corps du père rejeté par la marée au petit matin, tout rigide, avec une tête de plus en plus énorme et frissonnante car les mouettes s'assemblent pour picorer les yeux, et le corps de la mère ivre plumant vivant notre merle apprivoisé, et celui de la sœur surprise dans la haie avec l'ilote de service au-dessous du nid de fauvettes en émoi. Et mon amie au chardonneret était difforme, et mon amie au bouvreuil était phtisique. Et malgré ces ailes que je prêtais au genre humain, je le voyais ce qu'il est, rampant, malpropre, et misérable. Mais jamais je n'ai eu le sentiment qu'il exigeait la pitié.

ANDROMAQUE. – Parce que vous ne le jugez digne que de mépris.

HÉLÈNE. – C'est à savoir. Cela peut venir aussi de ce que, tous les malheureux, je les sens mes égaux, de ce que je les admets, de ce que ma santé, ma beauté et ma gloire je ne les juge pas très supérieures à leur misère. Cela peut être de la fraternité.

ANDROMAQUE. – Vous blasphémez, Hélène.

HÉLÈNE. – Les gens ont pitié des autres dans la mesure où ils auraient pitié d'eux-mêmes. Le malheur ou la laideur sont des miroirs qu'ils ne supportent pas. Je n'ai aucune pitié pour moi. Vous verrez, si la guerre éclate. Je supporte la faim, le mal sans souffrir, mieux que vous. Et l'injure. Si vous croyez que je n'entends pas les Troyennes sur mon passage ! Et elles me traitent de garce ! Et elles disent que le matin j'ai l'œil jaune. C'est faux ou c'est vrai. Mais cela m'est égal, si égal !

ANDROMAQUE. – Arrêtez-vous, Hélène !

HÉLÈNE. – Et si vous croyez que mon œil, dans ma collection de chromos en couleurs, comme dit votre mari, ne me montre pas parfois une Hélène vieillie, avachie, édentée, suçotant accroupie quelque confiture dans sa cuisine ! Et ce que le plâtre de mon grimage peut éclater de blancheur ! Et ce que la groseille peut être rouge ! Et ce que c'est coloré et sûr et certain !... Cela m'est complètement indifférent.

ANDROMAQUE. – Je suis perdue...

HÉLÈNE. – Pourquoi ? S'il suffit d'un couple parfait pour vous faire admettre la guerre, il y a toujours le vôtre, Andromaque.

Hélène, Andromaque, Oiax, puis Hector.

OIAX. – Où est-il ? Où se cache-t-il ? Un lâche ! un Troyen !

HECTOR. – Qui cherchez-vous ?

OIAX. – Je cherche Pâris…

HECTOR. – Je suis son frère.

OIAX. – Belle famille ! Je suis Oiax ! Qui es-tu ?

HECTOR. – On m'appelle Hector.

OIAX. – Moi je t'appelle beau-frère de pute !

HECTOR. – Je vois que la Grèce nous a envoyé des négo-ciateurs. Que voulez-vous ?

OIAX. – La guerre !

HECTOR. – Rien à espérer. Vous la voulez pourquoi ?

OIAX. – Ton frère a enlevé Hélène.

HECTOR. – Elle était consentante, à ce que l'on m'a dit.

OIAX. – Une Grecque fait ce qu'elle veut. Elle n'a pas à te demander la permission. C'est un cas de guerre.

HECTOR. – Nous pouvons vous offrir des excuses.

OIAX. – Les Troyens n'offrent pas d'excuses. Nous ne par-tirons d'ici qu'avec votre déclaration de guerre.

HECTOR. – Déclarez-la vous-mêmes.

OIAX. – Parfaitement, nous la déclarerons, et dès ce soir.

HECTOR. – Vous mentez. Vous ne la déclarerez pas. Aucune île de l'archipel ne vous suivra si nous ne sommes pas les responsables... Nous ne le serons pas.

OIAX. – Tu ne la déclareras pas, toi, personnellement, si je te déclare que tu es un lâche ?

HECTOR. – C'est un genre de déclaration que j'accepte.

OIAX. – Je n'ai jamais vu manquer à ce point de réflexe militaire !... Si je te dis ce que la Grèce entière pense de Troie, que Troie est le vice, la bêtise ?...

HECTOR. – Troie est l'entêtement. Vous n'aurez pas la guerre.

OIAX. – Si je crache sur elle ?

HECTOR. – Crachez.

OIAX. – Si je te frappe, toi son prince ?

HECTOR. – Essayez.

OIAX. – Si je te frappe en plein visage le symbole de sa va-nité et de son faux honneur ?

HECTOR. – Frappez...

OIAX, *le giflant*. – Voilà... Si Madame est ta femme, Madame peut être fière.

HECTOR. – Je la connais... Elle est fière.

SCÈNE X

Hélène, Andromaque, Oiax, Hector, Demokos.

DEMOKOS. – Quel est ce vacarme ! Que veut cet ivrogne, Hector ?

HECTOR. – Il ne veut rien. Il a ce qu'il veut.

DEMOKOS. – Que se passe-t-il, Andromaque ?

ANDROMAQUE. – Rien.

OIAX. – Deux fois rien. Un Grec gifle Hector, et Hector en-caisse.

DEMOKOS. – C'est vrai, Hector ?

HECTOR. – Complètement faux, n'est-ce pas Hélène ?

HÉLÈNE. – Les Grecs sont très menteurs. Les hommes grecs.

OIAX. – C'est de nature qu'il a une joue plus rouge que l'autre ?

HECTOR. – Oui. Je me porte bien de ce côté-là.

DEMOKOS. – Dis la vérité, Hector. Il a osé porter la main sur toi ?

HECTOR. – C'est mon affaire.

DEMOKOS. – C'est affaire de guerre. Tu es la stature même de Troie.

HECTOR. – Justement. On ne gifle pas les statues.

DEMOKOS. – Qui es-tu, brute ? Moi, je suis Demokos, se-cond fils d'Achichaos !

OIAX. – Second fils d'Achichaos ? Enchanté. Dis-moi, cela est-il aussi grave de gifler un second fils d'Achichaos que de gifler Hector ?

DEMOKOS. – Tout aussi grave, ivrogne. Je suis le chef du Sénat. Si tu veux la guerre, la guerre jusqu'à la mort, tu n'as qu'à essayer.

OIAX. – Voilà… J'essaie.

Il gifle Demokos.

DEMOKOS. – Troyens ! Soldats ! Au secours !

HECTOR. – Tais-toi, Demokos.

DEMOKOS. – Aux armes ! On insulte Troie ! Vengeance !

HECTOR. – Je te dis de te taire.

DEMOKOS. – Je crierai ! J'ameuterai la ville !

HECTOR. – Tais-toi !… Ou je te gifle !

DEMOKOS. – Priam ! Anchise ! Venez voir la honte de Troie. Elle a Hector pour visage.

HECTOR. – Tiens !

Hector a giflé Demokos. Oiax s'esclaffe.

SCÈNE XI

Les mêmes, Priam et les notables.

Pendant la scène, Priam et les notables viennent se grouper en face du passage par où doit entrer Ulysse.

PRIAM. – Pourquoi ces cris, Demokos ?

DEMOKOS. – On m'a giflé.

OIAX. – Va te plaindre à Achichaos !

PRIAM. – Qui t'a giflé ?

DEMOKOS. – Hector ! Oiax ! Hector ! Oiax !

PÂRIS. – Qu'est-ce qu'il raconte ? Il est fou !

HECTOR. – On ne l'a pas giflé du tout, n'est-ce pas, Hélène ?

HÉLÈNE. – Je regardais pourtant bien, je n'ai rien vu.

OIAX. – Ses deux joues sont de la même couleur.

PRIAM. – Les poètes s'agitent souvent sans raison. C'est ce qu'ils appellent leurs transes. Il va nous en sortir notre chant national.

DEMOKOS. – Tu me le paieras, Hector…

DES VOIX. – Ulysse. Voici Ulysse…

Oiax s'est avancé tout cordial vers Hector.

OIAX. – Bravo ! Du cran. Noble adversaire. Belle gifle…

HECTOR. – J'ai fait de mon mieux.

OIAX. – Excellente méthode aussi. Coude fixe. Poignet biaisé. Grande sécurité pour carpe et métacarpe. Ta gifle doit être plus forte que la mienne.

HECTOR. – J'en doute.

OIAX. – Tu dois admirablement lancer le javelot avec ce radius en fer et ce cubitus à pivot.

HECTOR. – Soixante-dix mètres.

OIAX. – Révérence ! Mon cher Hector, excuse-moi. Je retire mes menaces. Je retire ma gifle. Nous avons des ennemis communs, ce sont les fils d'Achichaos. Je ne me bats pas contre ceux qui ont avec moi pour ennemis les fils d'Achichaos. Ne parlons plus de guerre. Je ne sais ce qu'Ulysse rumine, mais compte sur moi pour arranger l'histoire…

Il va au devant d'Ulysse avec lequel il rentrera.

ANDROMAQUE. – Je t'aime, Hector.

HECTOR, *montrant sa joue*. – Oui. Mais ne m'embrasse pas encore tout de suite, veux-tu ?

ANDROMAQUE. – Tu as gagné encore ce combat. Aie con-fiance.

HECTOR. – Je gagne chaque combat. Mais de chaque victoire l'enjeu s'envole.

SCÈNE XII

Priam, Hector, Pâris, Hécube, Hélène, les Troyens, le Gabier,
Olipidès, Iris, les Troyennes, Ulysse, Oiax et leur suite.

ULYSSE. – Priam et Hector, je pense ?

PRIAM. – Eux-mêmes. Et derrière eux, Troie, et les fau-bourgs de Troie, et la campagne de Troie, et l'Hellespont, et ce pays comme un poing fermé qui est la Phrygie. Vous êtes Ulysse ?

ULYSSE. – Je suis Ulysse.

PRIAM. – Et voilà Anchise. Et derrière lui, la Thrace, le Pont, et cette main ouverte qu'est la Tauride.

ULYSSE. – Beaucoup de monde pour une conversation diplomatique.

PRIAM. – Et voici Hélène.

ULYSSE. – Bonjour, reine.

HÉLÈNE. – J'ai rajeuni ici, Ulysse. Je ne suis plus que princesse.

PRIAM. – Nous vous écoutons.

OIAX. – Ulysse, parle à Priam. Moi je parle à Hector.

ULYSSE. – Priam, nous sommes venus pour reprendre Hélène.

OIAX. – Tu le comprends n'est-ce pas, Hector ? Ça ne pouvait pas se pas-ser comme ça !

ULYSSE. – La Grèce et Ménélas crient vengeance.

OIAX. – Si les maris trompés ne criaient pas vengeance, qu'est-ce qu'il leur resterait ?

ULYSSE. – Qu'Hélène nous soit donc rendue dans l'heure même. Ou c'est la guerre.

OIAX. – Il y a les adieux à faire.

HECTOR. – Et c'est tout ?

ULYSSE. – C'est tout.

OIAX. – Ce n'est pas long, tu vois, Hector ?

HECTOR. – Ainsi, si nous vous rendons Hélène, vous nous assurez la paix.

OIAX. – Et la tranquillité.

HECTOR. – Si elle s'embarque dans l'heure, l'affaire est close.

OIAX. – Et liquidée.

HECTOR. – Je crois que nous allons pouvoir nous entendre, n'est-ce pas Hélène ?

HÉLÈNE. – Oui, je le pense.

ULYSSE. – Vous ne voulez pas dire qu'Hélène va nous être rendue ?

HECTOR. – Cela même. Elle est prête.

OIAX. – Pour les bagages, elle en aura toujours plus au re-tour qu'elle en avait au départ.

HECTOR. – Nous vous la rendons, et vous garantissez la paix. Plus de représailles, plus de vengeance ?

OIAX. – Une femme perdue, une femme retrouvée, et c'est justement la même. Parfait ! N'est-ce pas, Ulysse ?

ULYSSE. – Pardon ! Je ne garantis rien. Pour que nous re-noncions à toutes représailles, il faudrait qu'il n'y eût pas prétexte à représailles. Il faudrait que Ménélas retrouvât Hélène dans l'état même où elle lui fut ravie.

HECTOR. – À quoi reconnaîtra-t-il un changement ?

ULYSSE. – Un mari est subtil quand un scandale mondial l'a averti. Il faudrait que Pâris eût respecté Hélène. Et ce n'est pas le cas…

LA FOULE. – Ah ! non. Ce n'est pas le cas.

DES VOIX. – Pas précisément !

HECTOR. – Et si c'était le cas ?

ULYSSE. – Où voulez-vous en venir, Hector ?

HECTOR. – Pâris n'a pas touché Hélène. Tous deux m'ont fait leurs confidences.

ULYSSE. – Quelle est cette histoire ?

HECTOR. – La vraie histoire, n'est-ce pas Hélène ?

HÉLÈNE. – Qu'a-t-elle d'extraordinaire ?

UNE VOIX. – C'est épouvantable ! Nous sommes déshono-rés !

HECTOR. – Qu'avez-vous à sourire, Ulysse ? Vous voyez sur Hélène le moindre indice d'une défaillance à son devoir ?

ULYSSE. – Je ne le cherche pas. L'eau sur le canard marque mieux que la souillure sur la femme.

PÂRIS. – Tu parles à une reine.

ULYSSE. – Exceptons les reines naturellement… Ainsi, Pâ-ris, vous avez enlevé cette reine, vous l'avez enlevée nue ; vous-même, je pense, n'étiez pas dans l'eau avec cuissard et armure, et aucun goût d'elle, aucun désir d'elle ne vous a saisi ?

PÂRIS. – Une reine nue est couverte par sa dignité.

HÉLÈNE. – Elle n'a qu'à ne pas s'en dévêtir.

ULYSSE. – Combien a duré le voyage ? J'ai mis trois jours avec mes vaisseaux, et ils sont plus rapides que les vôtres.

DES VOIX. – Quelles sont ces intolérables insultes à la ma-rine troyenne ?

UNE VOIX. – Vos vents sont plus rapides ! Pas vos vais-seaux !

ULYSSE. – Mettons trois jours, si vous voulez. Où était la reine, pendant ces trois jours ?

PÂRIS. – Sur le pont, étendue.

ULYSSE. – Et Pâris. Dans la hune ?

HÉLÈNE. – Étendu près de moi.

ULYSSE. – Il lisait, près de vous ? Il pêchait la dorade ?

HÉLÈNE. – Parfois il m'éventait.

ULYSSE. – Sans jamais vous toucher ?...

HÉLÈNE. – Un jour, le deuxième, il m'a baisé la main.

ULYSSE. – La main ! Je vois. Le déchaînement de la brute.

HÉLÈNE. – J'ai cru digne de ne pas m'en apercevoir.

ULYSSE. – Le roulis ne vous a pas poussés l'un vers l'autre ?... Je pense que ce n'est pas insulter la marine troyenne de dire que ses bateaux roulent...

UNE VOIX. – Ils roulent beaucoup moins que les bateaux grecs ne tanguent.

OIAX. – Tanguer, nos bateaux grecs ! S'ils ont l'air de tan-guer c'est à cause de leur proue surélevée et de leur arrière qu'on évide !...

UNE VOIX. – Oh ! oui ! La face arrogante et le cul plat, c'est tout grec...

ULYSSE. – Et les trois nuits ? Au-dessus de votre couple, les étoiles ont paru et disparu trois fois. Rien ne vous est demeuré, Hélène, de ces trois nuits ?

HÉLÈNE. – Si… Si ! J'oubliais ! Une bien meilleure science des étoiles.

ULYSSE. – Pendant que vous dormiez, peut-être… il vous a prise…

HÉLÈNE. – Un moucheron m'éveille…

HECTOR. – Tous deux vous le jureront, si vous voulez, sur votre déesse Aphrodite.

ULYSSE. – Je leur en fais grâce. Je la connais, Aphrodite ! Son serment favori, c'est le parjure… Curieuse histoire, et qui va détruire dans l'Archipel l'idée qu'il y avait des Troyens.

PÂRIS. – Que pensait-on, des Troyens, dans l'Archipel ?

ULYSSE. – On les croit moins doués que nous pour le né-goce, mais beaux et irrésistibles. Poursuivez vos confidences, Pâris. C'est une intéressante contribution à la physiologie. Quelle raison a bien pu vous pousser à respecter Hélène quand vous l'aviez à merci ?…

PÂRIS. – Je… Je l'aimais.

HÉLÈNE. – Si vous ne savez pas ce que c'est que l'amour, Ulysse, n'abordez pas ces sujets-là.

ULYSSE. – Avouez, Hélène, que vous ne l'auriez pas suivi, si vous aviez su que les Troyens sont impuissants…

UNE VOIX. – C'est une honte !

UNE VOIX. – Qu'on le musèle.

UNE VOIX. – Amène ta femme, et tu verras.

UNE VOIX. – Et ta grand'mère !

ULYSSE. – Je me suis mal exprimé. Que Pâris, le beau Pâris fût impuissant…

105

UNE VOIX. – Est-ce que tu vas parler, Pâris. Vas-tu nous rendre la risée du monde ?

PÂRIS. – Hector, vois comme ma situation est désagréable !

HECTOR. – Tu n'en as plus que pour une minute… Adieu, Hélène. Et que ta vertu devienne aussi proverbiale qu'aurait pu l'être ta facilité.

HÉLÈNE. – Je n'avais pas d'inquiétude. Les siècles vous donnent toujours le mérite qui est le vôtre.

ULYSSE. – Pâris l'impuissant, beau surnom !… Vous pouvez l'embrasser, Hélène, pour une fois.

PÂRIS. – Hector !

LE PREMIER GABIER. – Est-ce que vous allez supporter cette farce, commandant ?

HECTOR. – Tais-toi ! C'est moi qui commande ici !

LE GABIER. – Vous commandez mal ! Nous, les gabiers de Pâris, nous en avons assez. Je vais le dire, moi, ce qu'il a fait à votre reine !…

DES VOIX. – Bravo ! Parle !

LE GABIER. – Il se sacrifie sur l'ordre de son frère. Moi, j'étais officier de bord. J'ai tout vu.

HECTOR. – Tu t'es trompé.

LE GABIER. – Vous pensez qu'on trompe l'œil d'un marin troyen ? À trente pas je reconnais les mouettes borgnes. Viens à mon côté, Olipidès. Il était dans la hune, celui-là. Il a tout vu d'en haut. Moi, ma tête passait de l'escalier des soutes. Elle était juste à leur hauteur, comme un chat devant un lit… Faut-il le dire, Troyens !

HECTOR. – Silence.

DES VOIX. – Parle ! Qu'il parle !

106

LE GABIER. – Et il n'y avait pas deux minutes qu'ils étaient à bord, n'est-ce pas Olipidès ?

OLIPIDÈS. – Le temps d'éponger la reine et de refaire sa raie. Vous pensez si je voyais la raie de la reine, du front à la nuque, de là-haut.

LE GABIER. – Et il nous a tous envoyés dans la cale, excepté nous deux qu'il n'a pas vus…

OLIPIDÈS. – Et sans pilote, le navire filait droit nord. Sans vents, la voile était franc grosse…

LE GABIER. – Et de ma cachette, quand j'aurais dû voir la tranche d'un seul corps, toute la journée j'ai vu la tranche de deux, un pain de seigle sur un pain de blé… Des pains qui cuisaient, qui levaient. De la vraie cuisson.

OLIPIDÈS. – Et moi d'en haut j'ai vu plus souvent un seul corps que deux, tantôt blanc, comme le gabier le dit, tantôt doré. À quatre bras et quatre jambes…

LE GABIER. – Voilà pour l'impuissance ! Et pour l'amour moral, Olipidès, pour la partie affection, dis ce que tu entendais de ton tonneau ! Les paroles des femmes montent, celles des hommes s'étalent. Je dirai ce qui disait Pâris…

OLIPIDÈS. – Elle l'a appelé sa perruche, sa chatte.

LE GABIER. – Lui son puma, son jaguar. Ils intervertis-saient les sexes. C'est de la tendresse. C'est bien connu.

OLIPIDÈS. – Tu es mon hêtre, disait-elle aussi. Je t'étreins juste comme un hêtre, disait-elle… Sur la mer, on pense aux arbres.

LE GABIER. – Et toi mon bouleau, lui disait-il, mon bouleau frémissant ! Je me rappelle bien le mot bouleau. C'est un arbre russe.

OLIPIDÈS. – Et j'ai dû rester jusqu'à la nuit dans la hune. On a faim et soif là-haut. Et le reste.

LE GABIER. – Et quand il se désenlaçaient, ils se léchaient du bout de la langue, parce qu'ils se trouvaient salés.

OLIPIDÈS. – Et quand ils se sont mis debout, pour aller enfin se coucher, ils chancelaient…

LE GABIER. – Et voilà ce qu'elle aurait eu, ta Pénélope, avec cet impuissant.

DES VOIX. – Bravo ! Bravo !

UNE VOIX DE FEMME. – Gloire à Pâris.

UN HOMME JOVIAL. – Rendons à Pâris ce qui revient à Pâris !

HECTOR. – Ils mentent, n'est-ce pas, Hélène ?

ULYSSE. – Hélène écoute, charmée.

HÉLÈNE. – J'oubliais qu'il s'agissait de moi. Ces hommes ont de la conviction.

ULYSSE. – Ose dire qu'ils mentent, Pâris ?

PÂRIS. – Dans les détails, quelque peu.

LE GABIER. – Ni dans le gros, ni dans les détails. N'est-ce pas, Olipidès ! Vous contestez vos expressions d'amour, com-mandant ? Vous contestez le mot puma ?

PÂRIS. – Pas spécialement le mot puma !…

LE GABIER. – Le mot bouleau, alors ? Je vois. C'est le mot bouleau frémissant qui vous offusque. Tant pis, vous l'avez dit. Je jure que vous l'avez dit, et d'ailleurs il n'y a pas à rougir du mot bouleau. J'en ai vu des bouleaux frémissants, l'hiver, le long de la Caspienne, et, sur la neige, avec leurs bagues d'écorce noire qui semblaient séparées par le vide, on se demandait ce qui portait les branches. Et j'en ai vu en plein été, dans le chenal près d'Astrakhan avec leurs bagues blanches comme celles des bons champignons, juste au bord de l'eau, mais aussi dignes que le saule est mollasse. Et quand vous avez dessus un de ces gros corbeaux gris et noir, tout l'arbre tremble, plie à casser, et je lui lançais des pierres jusqu'à ce qu'il s'envolât, et toutes les feuilles alors me parlaient et me faisaient signe. Et à les voir frissonner, en or par-dessus, en argent par-dessous, vous vous sentez le cœur plein de tendresse ! Moi, j'en aurais pleuré, n'est-ce pas, Olipidès ! Voilà ce que c'est qu'un bouleau !

LA FOULE. – Bravo ! Bravo !

UN AUTRE MARIN. – Et il n'y a pas que le gabier et Olipidès qui les aient vus, Priam. Du soutier à l'enseigne, nous étions tous ressortis du navire par les hublots, et tous, cramponnés à la coque, nous regardions par-dessous la lisse. Le navire n'était qu'un instrument à voir.

UN TROISIÈME MARIN. – À voir l'amour.

ULYSSE. – Et voilà, Hector !

HECTOR. – Taisez-vous tous.

LE GABIER. – Tiens, fais taire celle-là !

Iris apparaît dans le ciel.

LE PEUPLE. – Iris ! Iris !

PÂRIS. – C'est Aphrodite qui t'envoie ?

IRIS. – Oui, Aphrodite, elle me charge de vous dire que l'amour est la loi du monde. Que tout ce qui double l'amour, devient sacré, que ce soit le mensonge, l'avarice, ou la luxure. Que tout amoureux, elle le prend sous sa garde, du roi au berger en passant par l'entremetteur. J'ai bien dit : l'entremetteur. S'il en est un ici, qu'il soit salué. Et qu'elle vous interdit à vous deux, Hector et Ulysse, de séparer Pâris d'Hélène. Ou il y aura la guerre.

PÂRIS, LES VIEILLARDS. – Merci, Iris !

HECTOR. – Et de Pallas aucun message ?

IRIS. – Oui, Pallas me charge de vous dire que la raison est la loi du monde. Tout être amoureux, vous fait-elle dire, déraisonne. Elle vous demande de lui avouer franchement s'il y a plus bête que le coq sur la poule ou la mouche sur la mouche. Elle n'insiste pas. Et elle vous ordonne, à vous Hector et vous Ulysse, de séparer Hélène de ce Pâris à poil frisé. Ou il y aura la guerre…

HECTOR, *les femmes*. – Merci, Iris !

PRIAM. – Ô mon fils, ce n'est ni Aphrodite, ni Pallas qui règlent l'univers. Que nous commande Zeus dans cette incertitude ?

IRIS. – Zeus, le maître des Dieux, vous fait dire que ceux qui ne voient que l'amour dans le monde sont aussi bêtes que ceux qui ne le voient pas. La sagesse, vous fait dire Zeus, le maître des dieux, c'est tantôt de faire l'amour et tantôt de ne pas le faire. Les prairies semées de coucous et de violettes, à son humble et impérieux avis, sont aussi douces à ceux qui s'étendent l'un sur l'autre qu'à ceux qui s'étendent l'un près de l'autre, soit qu'ils lisent, soit qu'ils soufflent sur la sphère aérée du pissenlit, soit qu'ils pensent au repas du soir ou à la république. Il s'en rapporte donc à Hector et à Ulysse pour que l'on sépare Hélène et Pâris tout en ne les séparant pas. Il ordonne à tous les autres de s'éloigner, et de laisser face à face les négociateurs. Et que ceux-là s'arrangent pour qu'il n'y ait pas la guerre. Ou alors, il vous le jure et il n'a jamais menacé en vain, il vous jure qu'il y aura la guerre.

HECTOR. – À vos ordres, Ulysse !

ULYSSE. – À vos ordres.

Tous se retirent. On voit une grande écharpe se former dans le ciel.

HÉLÈNE. – C'est bien elle. Elle a oublié sa ceinture à mi-chemin.

SCÈNE XIII

Ulysse, Hector.

HECTOR. – Et voilà le vrai combat, Ulysse.

ULYSSE. –Le combat d'où sortira ou ne sortira pas la guerre, oui.

HECTOR. – Elle en sortira ?

ULYSSE. – Nous allons le savoir dans cinq minutes.

HECTOR. – Si c'est un combat de paroles, mes chances sont faibles.

ULYSSE. – Je crois que cela sera plutôt une pesée. Nous avons vraiment l'air d'être chacun sur le plateau d'une balance. Le poids parlera…

HECTOR. – Mon poids ? Ce que je pèse, Ulysse ? Je pèse un homme jeune, une femme jeune, un enfant à naître. Je pèse la joie de vivre, la confiance de vivre, l'élan vers ce qui est juste et naturel.

ULYSSE. – Je pèse l'homme adulte, la femme de trente ans, le fils que je mesure chaque mois avec des encoches, contre le chambranle du palais… Mon beau-père prétend que j'abîme la menuiserie… Je pèse la volupté de vivre et la méfiance de la vie.

HECTOR. – Je pèse la chasse, le courage, la fidélité, l'amour.

ULYSSE. – Je pèse la circonspection devant les dieux, les hommes et les choses.

HECTOR. – Je pèse le chêne phrygien, tous les chênes phrygiens feuillus et trapus, épars sur nos collines avec nos bœufs frisés.

ULYSSE. – Je pèse l'olivier.

HECTOR. – Je pèse le faucon, je regarde le soleil en face.

ULYSSE. – Je pèse la chouette.

HECTOR. – Je pèse tout un peuple de paysans débonnaires, d'artisans laborieux, des milliers de charrues, de métiers à tisser, de forges et d'enclumes... Oh ! Pourquoi, devant vous, tous ces poids me paraissent-ils tout à coup si légers !

ULYSSE. – Je pèse ce que pèse cet air incorruptible et im-pitoyable sur la côte et sur l'archipel.

HECTOR. – Pourquoi continuer ? La balance s'incline.

ULYSSE. – De mon côté ?... Oui, je le crois.

HECTOR. – Et vous voulez la guerre ?

ULYSSE. – Je ne la veux pas. Mais je suis moins sûr de ses intentions à elle.

HECTOR. – Nos peuples nous ont délégués tous deux ici pour la conjurer. Notre seule réunion signifie que rien n'est perdu...

ULYSSE. – Vous êtes jeune, Hector !... À la veille de toute guerre, il est courant que deux chefs des peuples en conflit se rencontrent seuls dans quelque innocent village, sur la terrasse au bord d'un lac, dans l'angle d'un jardin. Et ils conviennent que la guerre est le pire fléau du monde, et tous deux, à suivre du regard ces reflets et ces rides sur les eaux, à recevoir sur l'épaule ces pétales de magnolias, ils sont pacifiques, modestes, loyaux. Et ils s'étudient. Ils se regardent. Et, tiédis par le soleil, attendris par un vin clairet, ils ne trouvent dans le visage d'en face aucun trait qui ne justifie la haine, aucun trait qui n'appelle l'amour humain, et rien d'incompatible non plus dans leur langage, dans leur façon de se gratter le nez ou de boire. Et ils sont vraiment combles de paix, de désirs de paix. Ils se quittent en se serrant les mains, en se sentant des frères. Et ils se retournent de leur calèche pour se sourire... Et le lendemain pourtant éclate la guerre... Ainsi nous sommes tous deux maintenant... Nos peuples autour de l'entretien se taisent et s'écartent, mais ce n'est pas qu'ils attendent de nous une victoire sur l'inéluctable. C'est seulement qu'ils nous ont donné pleins pouvoirs, qu'ils nous ont isolés, pour que nous goûtions mieux, au-dessus de la catastrophe, notre fraternité d'ennemis. Goûtons-la. C'est un plat de riches. Savourons-la... Mais c'est tout. Le privilège des grands, c'est de voir les catastrophes d'une terrasse.

HECTOR. – C'est une conversation d'ennemis que nous avons là ?

ULYSSE. – C'est un duo avant l'orchestre. C'est le duo des récitants avant la guerre. Parce que nous avons été créés sensés, justes et courtois, nous nous parlons, une heure avant la guerre, comme nous nous parlerons longtemps après, en anciens combattants. Nous nous réconcilions avant la lutte même, c'est toujours cela. Peut-être d'ailleurs avons-nous tort. Si l'un de nous doit un jour tuer l'autre et arracher pour reconnaître sa victime la visière de son casque, il vaudrait peut-être mieux qu'il ne lui donnât pas un visage de frère... Mais l'univers le sait, nous allons nous battre.

HECTOR. – L'univers peut se tromper. C'est à cela qu'on reconnaît l'erreur, elle est universelle.

ULYSSE. – Espérons-le. Mais quand le destin, depuis des années, a surélevé deux peuples, quand il leur a ouvert le même avenir d'invention et d'omnipotence, quand il a fait de chacun, comme nous l'étions tout à l'heure sur la bascule, un poids précieux et différent pour peser le plaisir, la conscience et jusqu'à la nature, quand par leurs architectes, leurs poètes, leurs teinturiers, il leur a donné à chacun un royaume opposé de volumes, de sons et de nuances, quand il leur a fait inventer le toit en charpente troyen et la voûte thébaine, le rouge phrygien et l'indigo grec, l'univers sait bien qu'il n'entend pas préparer ainsi aux hommes deux chemins de couleur et d'épanouissement, mais se ménager son festival, le déchaînement de cette brutalité et de cette folie humaines qui seules rassurent les dieux. C'est de la petite politique, j'en conviens. Mais nous sommes chefs d'État, nous pouvons bien entre nous deux le dire : c'est couramment celle du Destin.

HECTOR. – Et c'est Troie et c'est la Grèce qu'il a choisies cette fois ?

ULYSSE. – Ce matin j'en doutais encore. J'ai posé le pied sur votre estacade, et j'en suis sûr.

HECTOR. – Vous vous êtes senti sur un sol ennemi ?

ULYSSE. – Pourquoi toujours revenir à ce mot ennemi ? Faut-il vous le redire ? Ce ne sont pas les ennemis naturels qui se battent. Il est des peuples que tout désigne pour une guerre, leur peau, leur langue et leur odeur, ils se jalousent, ils se haïssent, ils ne peuvent pas se sentir... Ceux-là ne se battent jamais. Ceux qui se battent, ce sont ceux que le sort a lustrés et préparés pour une même guerre : ce sont les adversaires.

HECTOR. – Et nous sommes prêts pour la guerre grecque ?

ULYSSE. – À un point incroyable. Comme la nature munit les insectes dont elle prévoit la lutte, de faiblesses et d'armes qui se correspondent, à distance, sans que nous nous connaissions, sans que nous nous en doutions, nous nous sommes élevés tous deux au niveau de notre guerre. Tout correspond de nos armes et de nos habitudes comme des roues à pignon. Et le regard de vos femmes, et le teint de vos filles sont les seuls qui ne suscitent en nous ni la brutalité, ni le désir, mais cette angoisse du cœur et de la joie qui est l'horizon de la guerre. Frontons et leurs soutaches d'ombre et de feu, hennissements des chevaux, peplums disparaissent à l'angle d'une colonnade, le sort a tout passé chez vous à cette couleur orange qui m'impose pour la première fois le relief de l'avenir. Il n'y a rien à faire. Vous êtes dans la lumière de la guerre grecque.

HECTOR. – Et c'est ce que pensent aussi les autres Grecs ?

ULYSSE. – Ce qu'ils pensent n'est pas plus rassurant. Les autres Grecs pensent que Troie est riche, ses entrepôts magnifiques, sa banlieue fertile. Ils pensent qu'ils sont à l'étroit sur du roc. L'or de vos temples, celui de vos blés et de votre colza, ont fait à chacun de nos navires, de nos promontoires, un signe qu'il n'oublie pas. Il n'est pas très prudent d'avoir des dieux et des légumes trop dorés.

HECTOR. – Voilà enfin une parole franche… La Grèce en nous s'est choisi une proie. Pourquoi alors une déclaration de guerre ? Il était plus simple de profiter de mon absence pour bondir sur Troie. Vous l'auriez eue sans coup férir.

ULYSSE. – Il est une espèce de consentement à la guerre que donne seulement l'atmosphère, l'acoustique et l'humeur du monde. Il serait dément d'entreprendre une guerre sans l'avoir. Nous ne l'avions pas.

HECTOR. – Vous l'avez maintenant !

ULYSSE. – Je crois que nous l'avons.

HECTOR. – Qui vous l'a donnée contre nous ? Troie est ré-putée pour son humanité, sa justice, ses arts !

ULYSSE. – Ce n'est pas par des crimes qu'un peuple se met en situation fausse avec son destin, mais par des fautes. Son armée est forte, sa caisse abondante, ses poètes en plein fonc-tionnement. Mais un jour, on ne sait pourquoi, du fait que ses citoyens coupent méchamment les arbres, que son prince enlève vilainement une femme, que ses enfants adoptent une mauvaise turbulence, il est perdu. Les nations, comme les hommes, meurent d'imperceptibles impolitesses. C'est à leur façon d'éternuer ou d'éculer leurs talons que se reconnaissent les peuples condamnés... Vous avez sans doute mal enlevé Hélène...

HECTOR. – Vous voyez la proportion entre le rapt d'une femme et la guerre où l'un de nos peuples périra ?

ULYSSE. – Nous parlons d'Hélène. Vous vous êtes trompés sur Hélène. Pâris et vous. Depuis quinze ans je la connais, je l'observe. Il n'y a aucun doute. Elle est une des rares créatures que le destin met en circulation sur la terre pour son usage personnel. Elles n'ont l'air de rien. Elles sont parfois une bourgade, presque un village, une petite reine, presque une petite fille, mais si vous les touchez, prenez garde ! C'est là la difficulté de la vie, de distinguer, entre les êtres et les objets, celui qui est l'otage du destin. Vous ne l'avez pas distingué. Vous pouviez toucher impunément à nos grands amiraux, à nos rois. Pâris pouvait se laisser aller sans danger dans les lits de Sparte ou de Thèbes, à vingt généreuses étreintes. Il a choisi le cerveau le plus étroit, le cœur le plus rigide, le sexe le plus étroit... Vous êtes perdus.

HECTOR. – Nous vous rendons Hélène.

ULYSSE. – L'insulte au destin ne comporte pas la restitu-tion.

HECTOR. – Pourquoi discuter alors ! Sous vos paroles, je vois enfin la vérité. Avouez-le. Vous voulez nos richesses ! Vous avez fait enlever Hélène pour avoir à la guerre un prétexte honorable ! J'en rougis pour la Grèce. Elle en sera éternellement responsable et honteuse.

ULYSSE. – Responsable et honteuse ? Croyez-vous ? Les deux mots ne s'accordent guère. Si nous nous savions vraiment responsables de la guerre, il suffirait à notre génération actuelle de nier et de mentir pour assurer la bonne foi et la bonne conscience de toutes nos générations futures. Nous mentirons. Nous nous sacrifierons.

HECTOR. – Eh bien, le sort en est jeté, Ulysse ! Va pour la guerre ! À mesure que j'ai plus de haine pour elle, il me vient d'ailleurs un désir plus incoercible de tuer... Partez, puisque vous me refusez votre aide...

ULYSSE. – Comprenez-moi, Hector !... Mon aide vous est acquise. Ne m'en veuillez pas d'interpréter le sort. J'ai voulu seulement lire dans ces grandes lignes que sont, sur l'univers, les voies des caravanes, les chemins des navires, le tracé des grues volantes et des races. Donnez-moi votre main. Elle aussi a ses lignes. Mais ne cherchons pas si leur leçon est la même. Admettons que les trois petites rides au fond de la main d'Hector disent le contraire de ce qu'assurent les fleuves, les vols et les sillages. Je suis curieux de nature, et je n'ai pas peur. Je veux bien aller contre le sort. J'accepte Hélène. Je la rendrai à Ménélas. Je possède beaucoup plus d'éloquence qu'il n'en faut pour faire croire un mari à la vertu de sa femme. J'amènerai même Hélène à y croire elle-même. Et je pars à l'instant, pour éviter toute surprise. Une fois au navire, peut-être risquons-nous de déjouer la guerre.

HECTOR. – Est-ce là la ruse d'Ulysse, ou sa grandeur ?

ULYSSE. – Je ruse en ce moment contre le destin, non contre vous. C'est mon premier essai et j'y ai plus de mérite. Je suis sincère, Hector... Si je voulais la guerre, je ne vous deman-derais pas Hélène, mais une rançon qui vous est plus chère... Je pars... Mais je ne peux me défendre de l'impression qu'il est bien long, le chemin qui va de cette place à mon navire.

HECTOR. – Ma garde vous escorte.

ULYSSE. – Il est long comme le parcours officiel des rois en visite quand l'attentat menace... Où se cachent les conjurés ? Heureux nous sommes, si ce n'est pas dans le ciel même... Et le chemin d'ici à ce coin du palais est long... Et long mon premier pas... Comment va-t-il se faire, mon premier pas... entre tous ces périls... Vais-je glisser et me tuer ?... Une corniche va-t-elle s'effondrer sur moi de cet angle ? Tout est maçonnerie neuve ici, et j'attends la pierre croulante... Du courage... Allons-y.

Il fait un premier pas.

HECTOR. – Merci, Ulysse.

ULYSSE. – Le premier pas va… Il en reste combien ?

HECTOR. – Quatre cent soixante.

ULYSSE. – Au second ! Vous savez ce qui me décide à par-tir, Hector…

HECTOR. – Je le sais. La noblesse.

ULYSSE. – Pas précisément… Andromaque a le même battement de cils que Pénélope.

SCÈNE XIV

Andromaque, Cassandre, Hector, Abnéos,
puis Oiax, puis Demokos.

HECTOR. – Tu étais là, Andromaque ?

ANDROMAQUE. – Soutiens-moi. Je n'en puis plus !

HECTOR. – Tu nous écoutais ?

ANDROMAQUE. – Oui. Je suis brisée.

HECTOR. – Tu vois qu'il ne faut pas désespérer…

ANDROMAQUE. – De nous peut-être. Du monde, oui… Cet homme est effroyable. La misère du monde est sur moi.

HECTOR. – Une minute encore, et Ulysse est à son bord… Il marche vite. D'ici l'on suit son cortège. Le voilà déjà en face des fontaines. Que fais-tu ?

ANDROMAQUE. – Je n'ai plus la force d'entendre. Je me bouche les oreilles. Je n'enlèverai pas les mains avant que notre sort soit fixé…

HECTOR. – Cherche Hélène, Cassandre !

Oiax entre sur la scène, de plus en plus ivre. Il voit Andromaque de dos.

CASSANDRE. – Ulysse vous attend au port, Oiax. On vous y conduit Hélène.

OIAX. – Hélène ! Je me moque d'Hélène ! C'est celle-là que je veux tenir dans mes bras.

CASSANDRE. – Partez, Oiax. C'est la femme d'Hector.

OIAX. – La femme d'Hector ! Bravo ! J'ai toujours préféré les femmes de mes amis, de mes vrais amis !

CASSANDRE. – Ulysse est déjà à mi-chemin… Partez.

OIAX. – Ne te fâche pas. Elle se bouche les oreilles. Je peux donc tout lui dire, puisqu'elle n'entendra pas. Si je la touchais, si je l'embrassais, évidemment ! Mais des paroles qu'on n'entend pas, rien de moins grave.

CASSANDRE. – Rien de plus grave. Allez, Oiax !

OIAX, *pendant que Cassandre essaie par la force de l'éloigner d'Andromaque et qu'Hector lève peu à peu son javelot.* – Tu crois ? Alors autant la toucher. Autant l'embrasser. Mais chastement !... Toujours chastement, les femmes des vrais amis ! Qu'est-ce qu'elle a de plus chaste ta femme, Hector, le cou ? Voilà pour le cou... L'oreille aussi m'a un gentil petit air tout à fait chaste ! Voilà pour l'oreille... Je vais te dire, moi, ce que j'ai toujours trouvé de plus chaste chez la femme... Laisse-moi !...Laisse-moi ! Elle n'entend pas les baisers non plus... Ce que tu es forte !... Je viens... Je viens... Adieu. *(Il sort.)*

Hector baisse imperceptiblement son javelot. À ce moment Demokos fait irruption.

DEMOKOS. – Quelle est cette lâcheté ? Tu rends Hélène ? Troyens, aux armes ! On nous trahit... Rassemblez-vous... Et votre chant de guerre est prêt ! Ecoutez votre chant de guerre !

HECTOR. – Voilà pour ton chant de guerre !

DEMOKOS *tombant.* – Il m'a tué !

HECTOR. – La guerre n'aura pas lieu, Andromaque !

Il essaie de détacher les mains d'Andromaque qui résiste, les yeux fixés sur Demokos. Le rideau qui avait commencé à tom-ber se lève peu à peu.

ABNEOS. – On a tué Demokos ! Qui a tué Demokos ?

DEMOKOS. – Qui m'a tué ?... Oiax !... Oiax !... Tuez-le !

ABNEOS. – Tuez Oiax !

HECTOR. – Il ment. C'est moi qui l'ai frappé.

DEMOKOS. – Non. C'est Oiax…

ABNEOS. – Oiax a tué Demokos… Rattrapez-le !… Châtiez-le !

HECTOR. – C'est moi, Demokos, avoue-le ! Avoue-le, ou je t'achève !

DEMOKOS. – Non, mon cher Hector, mon bien cher Hector. C'est Oiax !
Tuez Oiax !

CASSANDRE. – Il meurt, comme il a vécu, en coassant.

ABNEOS. – Voilà… Ils tiennent Oiax… Voilà. Ils l'ont tué !

HECTOR, *détachant les mains d'Andromaque*. – Elle aura lieu.

Les portes de la guerre s'ouvrent lentement. Elles découvrent Hélène qui embrasse Troïlus.

CASSANDRE. – Le poète troyen est mort… la parole est au poète grec.

Le rideau tombe définitivement.

LES RAISONS DU SUCCÈS

Quand Giraudoux écrit *La Guerre de Troie n'aura pas lieu*, d'ailleurs assez rapidement, il réinvestit un thème classique maintes fois exploité dans la littérature, et il ne manque pas, en auteur cultivé, de faire allusion à la pièce de Shakespeare, *Troïlus et Cressida*, ou aux sonnets de Ronsard sur la figure d'Hélène. Le succès du théâtre de Giraudoux commença avec *Siegfried* en 1928. *La Guerre de Troie n'aura pas lieu* est la sixième pièce de l'auteur et demeure la plus étudiée et la plus célèbre à l'étranger. Il n'y a aucun doute que sa collaboration féconde avec Jouvet, source d'inspiration et de création réciproque, soit pour quelque chose dans l'épanouissement de la production théâtrale de Giraudoux. Toute nouvelle pièce montée par Jouvet est un succès. Son théâtre dans la période de l'entre-deux-guerres occupe une place importante et remarquée. *La Guerre de Troie n'aura pas lieu* est la première pièce à mettre sur le devant de la scène le motif de la guerre, même si l'œuvre entière de Giraudoux est nourrie par ce thème. Et en 1935, parler de la guerre, c'est parler de la Grande Guerre, à laquelle l'auteur fait de nombreuses allusions, mais c'est aussi parler de celle qui se prépare tout près, avec la montée d'Hitler. La toile de fond antique et la menace de la guerre de Troie prennent alors une couleur d'actualité, la mythologie côtoie le décor politique des années 1930 et le propos frappe d'autant plus les spectateurs. Les questions fondamentales que pose Giraudoux à travers les héros de l'antiquité font mouche, tout autant que les jeux d'esprit. Les principaux détracteurs de la pièce sont ceux qui accusent l'auteur de pacifisme, considéré comme dangereux et lâche dans une époque comme celle-ci, et ceux qui jugent en général les pièces de Giraudoux comme trop précieuses et relevant exclusivement d'un jeu litté-raire d'érudit. De nos jours, le théâtre de Giraudoux est considéré comme un classique du XXᵉ siècle, aux côtés d'autres auteurs comme Cocteau,

Camus, Ionesco ou Sartre, pour ne citer qu'eux. Le théâtre au XXᵉ siècle n'est uni sous aucune bannière, mis à part le théâtre de l'absurde dans la seconde moitié du siècle. À l'époque où il écrit ses pièces, Giraudoux est un souffle nouveau et unique pour les scènes parisiennes, auxquelles il offre une variété de thèmes et de paysages, apportant sa poésie et sa mythologie.

LES THÈMES PRINCIPAUX

Le thème principal de *La Guerre de Troie n'aura pas lieu* est bien sûr la guerre, cette guerre de Troie mythique qui plane sur les personnages comme une fatalité, et dont chaque spectateur sait pertinemment qu'elle aura bien lieu, c'est écrit, c'est acquis. L'idée de guerre dans cette pièce pose la question fondamentale de l'action contre le destin : faut-il se débattre contre l'inévitable ou accepter la fatalité ? Giraudoux a choisi de montrer l'importance de l'action, car même si les personnages semblent se débattre en vain pour éviter cette guerre, ce sont leurs efforts et leurs arguments qui font toute la matière de la pièce. Giraudoux plante le décor avec, d'un côté les partisans de la guerre (le poète Demokos, le vieux roi Priam, les vieillards, le géomètre et les Troyens en général) et de l'autre, ceux qui luttent pour la paix ou critiquent la guerre (Hector, Andromaque, Hécube). Au milieu du tableau se dressent notamment Hélène, figure neutre et indifférente, et Cassandre, froide et fataliste. Ils se confrontent, et le ton de leurs échanges alterne entre le comique et le dramatique. Giraudoux a affirmé avoir écrit une tragédie, une tragédie « à sa façon », certes, c'est-à-dire remplie d'allusions et de traits d'humour, mais une tragédie tout de même. La guerre en est une, et la guerre de Troie particulièrement, en ce qu'elle symbolise la guerre originelle, l'emblème de toutes les guerres, la plus symbolique, la plus fondamentale. Giraudoux en exploitant ce thème pose donc la question de la guerre à ses origines, et évite ainsi d'être accusé trop violemment d'avoir fait une critique de l'actualité. Cela ne l'empêche pas pour autant de glisser dans son texte plusieurs références à la situation politique, à la guerre qui se prépare ainsi qu'à la Première Guerre mondiale que vient d'essuyer l'Europe et à laquelle il a été confronté personnellement. Le discours de Busiris par exemple (Acte II, scène 5) est une parodie du discours stratégique des spécialistes de la guerre, ce dernier usant de son érudition pour retourner à son avantage ses arguments sur les lois internationales. L'anachronisme et le ridicule du personnage prêtent à rire. Plusieurs allusions à la guerre de 14 sont glissées dans les propos des personnages : Demokos, avant de trouver l'idée du chant de guerre, évoque le « vin à la résine vigoureusement placé » qui ragaillardit les soldats, et l'on pense inévitablement au « pinard » des poilus de 14-18 (Acte II, scène 4). De même, lorsqu'Andromaque, dans la scène d'exposition, affirme à Cassandre que la guerre que vient de mener Hector était la « dernière », le spectateur de l'époque pense tout de suite aux réflexions sur la Première Guerre que l'on considérait comme « la der des der ». Plus flagrante encore : la réunion d'Ulysse et Hector (Acte II, scène 13), qui se concertent pour décider du conflit. Le décor que décrit Ulysse (« À la veille de toute guerre, il est courant que deux chefs des peuples en conflit se rencontrent seuls dans quelque innocent village, sur la terrasse au bord d'un lac, dans l'angle d'un jardin. ») n'est pas sans évoquer les conférences de Locarno et de Stresa en 1925 et 1935, qui ont mené aux traités visant à renforcer la paix européenne après le conflit de 1914-1918, et devant la menace hitlérienne. De même, lorsqu'Ulysse pressent, dans cette même scène, qu'il pourrait être victime d'un attentat que le destin pourrait provoquer pour faire éclater la guerre (« Il est bien long, le chemin qui va de cette place à mon navire. [...] Il est long comme le parcours officiel des rois en visite quand l'attentat menace »). Il s'agit là d'une référence d'actualité aux assassinats du roi de Yougoslavie et du ministre Barthou, sans parler de celui de Sarajevo en 1914, qui provoqua la Première Guerre mondiale. Ainsi l'on voit à quel point Giraudoux place son propos sur deux plans : la guerre mythique, mère de toutes les guerres, celle de Troie, la guerre comme concept, et la guerre récente, la guerre actuelle, celle dont les Français de l'époque sont encore meurtris. Son propos est donc d'autant plus percutant.

En situant l'intrigue dans le monde antique, Giraudoux s'est amusé à démythifier les figures mythologiques. Les allusions à l'*Iliade* (les images dans la rétine d'Hélène à la scène 9 de l'Acte I, montrant notamment la mort d'Hector) sont faites à l'attention d'un public érudit et connaisseur, mais se mêlent aux scènes franchement comiques d'un Ménélas pincé par un crabe qui ne remarque même pas l'enlèvement d'Hélène (Acte I, scène 4), d'une Iris messagère qui perd son écharpe, ou de dieux qui se contredisent (Acte II, scène 12). La critique de la guerre prend donc souvent le ton ironique de la démythification, lorsqu'Hécube annonce à Demokos que le vrai visage de la guerre est celui d'un « cul de singe » (Acte II, scène 5) par exemple. Contre ceux qui veulent faire la guerre pour un idéal de Beauté (celle d'Hélène), affirmant que la guerre fait les hommes courageux et honorables, Hector, Andromaque et Hécube la rappellent dans tout ce qu'elle a de barbare, de lâche et de stupide. C'est ainsi qu'Hector prononce le discours aux morts (qui est une tradition) dans lequel, loin de faire l'éloge des disparus, il les plaint : « La guerre me semble la recette la plus sordide et la plus hypocrite pour égaliser les humains et [...] je n'admets pas plus la mort comme châtiment ou comme expiation au lâche que comme récompense aux héros. » (Acte II, scène 5). En prenant le contre-pied du mythe qui fait d'ordinaire l'éloge du courage et de l'honneur guerriers, Giraudoux semble défendre une idée pacifiste, ce qu'il n'a pourtant jamais vraiment revendiqué. Son but était davantage de mettre en lumière les contradictions et les aberrations qui sont au cœur des idéaux, qu'ils soient guerriers ou pacifistes car, comme l'incarne Hector, le pacifiste est celui qui est « toujours prêt à faire la guerre pour l'éviter » et c'est finalement Hector lui-même, malgré tous ses efforts, qui provoquera la guerre qu'il redoute, involontairement, en tuant Demokos. On observe également que la guerre a un rapport avec le désir, avec les pulsions primitives qui agitent les volontés de mort. La cause de la guerre est une femme, Hélène, et une liaison sexuelle, celle d'Hélène et Pâris. L'enlèvement d'Hélène est le symbole de la violence sexuelle primitive. En associant la jeune femme à la patrie et à un idéal de beauté, les Troyens l'ont faite leur. Hélène n'est plus seulement une femme, elle est l'image où convergent toutes les pulsions de mort, notamment celle de la foule (les vieillards qui contemplent Hélène aux scènes 4 et 5 de l'Acte I) qui souhaite se fondre dans la femme, la beauté, la mère patrie. Finalement, même Hector cèdera à cette pulsion de mort en tuant Demokos.

Ce que dénonce principalement l'auteur, ce sont les images et les concepts qui justifient les batailles meurtrières, qu'il s'agisse d'Hélène et de la Beauté, de l'Amour, de la Patrie, tout ce pour quoi les hommes se battent et que glorifie le poète nationaliste (Demokos) dans ses chants.

ÉTUDE DU MOUVEMENT LITTÉRAIRE

Giraudoux ne s'inscrit dans aucun mouvement littéraire particulier. Le XXᵉ siècle, en termes « d'écoles littéraires », offre davantage une diversité d'œuvres, de sensibilités et de poétiques variées. Il n'y a guère que le mouvement surréaliste, l'existentialisme et le théâtre de l'absurde qui se revendiquent comme esthétiques à part entière, avec leurs codes particuliers. Giraudoux n'appartient à aucun de ces mouvements, et son théâtre, moderne et poétique, n'est motivé que par son érudition et sa sensibilité personnelle, et non par la volonté de se situer dans telle ou telle mouvance. On peut cependant observer les caractéristiques du théâtre de l'entre-deux-guerres, dans lequel il s'inscrit, et comprendre les influences et les préoccupations de l'époque où il écrit ses pièces.

Au lendemain de la Grande Guerre, le surréalisme a étendu son influence jusqu'à la scène, lorsqu'Apollinaire écrit *Les Mamelles de Tirésias*, joué en 1917. Armand Salacrou, auteur surréaliste, crée des premières pièces absurdes et farfelues comme *Tour à terre* (1925) ou *Le Pont de l'Europe* (1927), et Antonin Artaud est encore lié aux surréalistes lorsqu'il fonde le théâtre Alfred Jarry avec Roger Vitrac en 1927. Outre l'influence surréaliste, on observe au théâtre une mode de la réutilisation des mythes antiques, comme le fait Giraudoux avec *La Guerre de Troie n'aura pas lieu* ainsi qu'*Électre*, *Amphytrion 38* mais aussi *Ondine* ou *Judith*. Jean Cocteau exploite le mythe d'Oedipe dans *La Machine infernale*, Sartre reprend le mythe des Atrides dans *Les Mouches*. Le théâtre est également largement représenté dans l'entre-deux-guerres par la comédie de boulevard, dont on retiendra pour le meilleur Sacha Guitry, qui a écrit pas moins de vingt-neuf ouvrages pour la scène, tous d'une écriture vive et pétillante. Mais certaines comédies, comme celles de Jules Romains, lesquelles connurent un franc succès entre 1920 et 1930, sont plus acerbes et satiriques, telles

les critiques de la médecine (*Knock*) et de la science (*Donogoo*). La problématique de la guerre est évidemment un thème qui préoccupe les dramaturges (pour l'importance de l'arrière-plan de la Première Guerre, on peut citer *Siegfried*, de Jean Giraudoux ; dans *La Terre est ronde*, Armand Salacrou s'alarme de la montée du fascisme). Demeurent certains ovnis comme Paul Claudel, qui fait figure d'exception tant son théâtre est unique, autant dans son utilisation du sacré que dans sa diversité esthétique.

Le théâtre du XXᵉ siècle dans son ensemble est marqué par un souffle qui l'anime, le pense et le questionne. C'est le cas de beaucoup de genres littéraires : face aux bouleversements de l'époque, on éprouve la nécessité de repenser le roman, les codes poétiques et la recherche théâtrale. La naissance du cinéma pose de nouvelles questions à la scène, qui s'est d'ailleurs vue transformer par l'implication artistique de plus en plus importante des metteurs en scène. Le XXᵉ siècle marque ainsi l'avènement de l'ère du metteur en scène, avec le perfectionnisme de Jacques Copeau et sa volonté de retourner aux formes traditionnelles du théâtre, puis l'importance du « Cartel » formé par Charles Dullin, Louis Jouvet, Gaston Baty et Georges Pittoëf. Malgré leurs différences, ils partagent la même idée d'un théâtre indépendant et libre, un art à servir loin des revendications commerciales de certains de leurs confrères. Ils représentaient alors le « théâtre d'avant-garde », et ont permis de faire vivre la richesse du théâtre de l'entre-deux-guerres par leur amour des textes.

DANS LA MÊME COLLECTION

- **Zola**, *La Bête humaine*
- **Zola**, *Nana*
- **Zola**, *Pot-Bouille*